ライセンス契約のすべて
基礎編 改訂版（改正民法対応）

All About
LICENSE AGREEMENTS

ビジネスリスクの法的マネジメント

モデル契約書
ダウンロードサービス付き

吉川達夫
Tatsuo Yoshikawa

森下賢樹
Sakaki Morishita

飯田浩司
Hiroshi Iida

【編著】

第一法規

【ダウンロードサービス】本書のモデル契約書をダウンロード頂けます。

https://skn-cr.d1-law.com/

※ダウンロードは，2025年7月31日までとなります。

【ご注意】

　本書は法的意見書ではなく，またダウンロードサービスにより提供する各契約書式は，読者が所属される組織あるいは個人のご使用目的に合わせ，修正して契約書を作成するためのサンプルとしてご提供しているものです。国際契約においては相手国の弁護士を含め，それぞれの事案に応じて専門家のアドバイスを得るとともに，個々の案件に即した契約書を作成してください。

　なお，出版社ならびに各編者，著者は各契約書式や本書の使用によって発生することのある直接損害及び間接損害についての責任を一切負担しません。

はじめに

　本書は，テーマを「ライセンスビジネス」に絞り，取引類型に応じて，ビジネスリスク，関連する法律について，国内，国際の両方の契約を分析及び解説した。その際，ライセンス契約書のサンプルを多数掲載することにより，「ビジネスを契約書から理解する」というスタンスをとった。幸い，この考え方に日米の弁護士，弁理士，企業法務担当者の賛同を得ることができ，著者たちの知見と経験を本書に注ぎ込むことができたと思う。

　一口に「ライセンスビジネス」といっても，さまざまな形態がある。本書では，その中でも代表的な知的財産をめぐる特許やソフトウェアの契約，物品売買の契約をはじめ，紙面の許す範囲で，一部特殊な契約もカバーすることができた。

　契約書の検討は，企業の法務部や弁護士に任せきりにしてよいというものではない。しかし，初めて契約書を手にとると，契約書作成の基礎となる法律知識が乏しく，往々にして判断に窮するものである。法律以前に，日本人として日本語自体はすらすら読めてしまい，特に問題を意識せずに済ませてしまうかもしれない。法律自体も絶えず進化していくので，ビジネスの本質と法律の関係について，分からない部分も多い。そうした実務家にとって，本書が少しでも実際のビジネスや研究に役立つことを願っている。

　本書は2006年に第1版が出版されたものであるが（当初別の出版社より出版），このたびの改訂版を発行するにあたり，民法債権法改正などの法改正に伴う内容変更ならびに最近の取引形態であるサブスクリプションライセンス契約を盛り込むなどの拡充を行った。なお，モデル契約書書式等をウェブサイトで提供することで，利用者は作成時にサイトにアクセスして書式をダウンロードして使用できるようにしている。

　出版社の担当者には大変お世話になったことをこの場をお借りして御礼申し上げる次第である。

　2020年4月

編著者　吉川達夫
森下賢樹
飯田浩司

目次
Contents

第1章　特許ライセンス契約 ... *1*
- 1　ビジネスモデル ... *1*
- 2　リスク分析 ... *2*
- 3　関連する法律・許認可など ... *5*
- 4　契約書チェックポイント ... *9*
  - モデル契約書　特許ライセンス契約書 ... *13*
  - モデル契約書　PATENT LICENSE AGREEMENT ... *19*

第2章　商標ライセンス契約 ... *26*
- 1　ビジネスモデル ... *26*
- 2　リスク分析 ... *27*
- 3　関連する法律・許認可など ... *28*
- 4　契約書チェックポイント ... *30*
  - モデル契約書　商標使用許諾契約書 ... *32*
  - モデル契約書　TRADEMARK LICENSE AGREEMENT ... *37*

第3章　著作権ライセンス契約 ... *43*
- 1　ビジネスモデル ... *43*
- 2　リスク分析 ... *44*
- 3　関連する法律・許認可など ... *45*
- 4　契約書チェックポイント ... *46*
  - モデル契約書　出版契約書 ... *49*
  - モデル契約書　COPYRIGHT LICENSE AGREEMENT ... *56*
  - モデル契約書　CONTRIBUTOR AGREEMENT ... *61*

第4章　ソフトウェアライセンス契約　　62

4-1　ソフトウェアサブスクリプション契約……62
1　ビジネスモデル……62
2　リスク分析……63
3　関連する法律・許認可など……65
4　契約書チェックポイント……67
　モデル契約書　SOFTWARE SUBSCRIPTION AGREEMENT……69

4-2　B2B国内ソフトウェアライセンス契約……72
　モデル契約書　ソフトウェア使用許諾契約書……78

4-3　B2B国際ソフトウェアライセンス契約……81
　モデル契約書　SOFTWARE LICENSE AGREEMENT……84

第5章　ノウハウライセンス契約　　89

1　ビジネスモデル……89
2　リスク分析……90
3　関連する法律・許認可など……91
4　契約書チェックポイント……92
　モデル契約書　プロデュース契約書……95

第6章　製造・販売ライセンス契約　　99

1　ビジネスモデル……99
2　製造・販売ライセンス契約の留意点……100
3　契約書チェックポイント……115
　モデル契約書　MANUFACTURE AND SALES LICENSE
　　　　　　　　AGREEMENT（参考訳付）……120

第7章　製造ライセンス契約　　138

7-1　国内製造ライセンス契約……138
1　ビジネスモデル……138

2　リスク分析………………………………………………… *141*
　　3　関連する法律・許認可など……………………………… *143*
　　4　契約書チェックポイント………………………………… *148*
　　　　モデル契約書　製造委託契約書………………………… *155*
　7−2　国際製造ライセンス契約………………………………… *161*
　　　　モデル契約書　SUBCONTRACT AGREEMENT………… *163*

第8章　輸入ライセンス契約　*171*

　1　ビジネスモデル…………………………………………… *171*
　2　リスク分析………………………………………………… *171*
　3　関連する法律・許認可など……………………………… *172*
　4　契約書チェックポイント………………………………… *173*
　　　モデル契約書　AUTHORIZED IMPORT DISTRIBUTORSHIP
　　　　　　　　　　AGREEMENT…………………………… *180*

第9章　国内販売ライセンス契約　*186*

　1　ビジネスモデル…………………………………………… *186*
　2　リスク分析………………………………………………… *186*
　3　関連する法律・許認可など……………………………… *187*
　4　契約書チェックポイント………………………………… *190*
　　　モデル契約書　販売店契約書…………………………… *195*

第10章　コンサルティング契約　*199*

　1　ビジネスモデル…………………………………………… *199*
　2　リスク分析………………………………………………… *201*
　3　関連する法律・許認可など……………………………… *202*
　4　契約書チェックポイント………………………………… *203*
　　　モデル契約書　CONSULTING AGREEMENT…………… *204*
　　　モデル契約書　コンサルティング契約書……………… *212*

第11章　成果物使用許諾付請負契約　*217*

1 ビジネスモデル……………………………………………………… *217*
2 リスク分析…………………………………………………………… *217*
3 関連する法律・許認可など………………………………………… *218*
4 契約書チェックポイント…………………………………………… *219*
　　モデル契約書　成果物使用許諾付請負契約書……………………… *221*

事項索引……………………………………………………………………… *225*

第1章
特許ライセンス契約

三木 友由● *Tomoyoshi Miki*

1　ビジネスモデル

　特許権者は，業として特許発明の実施をする権利を専有する（特許法68条）。特許権者は特許製品を自ら製造販売（自己実施）できるが，特許発明を実施する権利を，対価（ロイヤルティ）の支払いを条件として他者に許諾することもできる。たとえば，資金面や技術面の問題から生産能力に乏しいというケースでは，特許権者（ライセンサー）が他者（ライセンシー）に特許権をライセンスすることで，自己実施する場合と比べて大きな利益を得られることもある。

　特許ライセンスはビジネスそのものであり，ライセンサーとライセンシー双方にメリットがあることが締結の前提となる。特許ライセンスを締結する契機や目的はさまざまであって，その形態は多様化しており，一人のライセンサーが一人のライセンシーにライセンスする形態を筆頭に，当事者間でそれぞれの特許権を相互にライセンスするクロスライセンスや，一人のライセンサーが複数のライセンシーにライセンスするマルチプルライセンスなどが，よく利用されている。

　また，技術の高度化によって権利関係が錯綜する中で，「パテントプール」と呼ばれるライセンススキームも普及している。パテントプールでは複数の企業が規格に関する特許権を持ち寄り，中立機関が規格における特許権の必須性を評価することで，プール参加者に大量の必須特許を一括ライセンスする。プールライセンスによると，多数の特許権者との個別交渉が不要となるため，プール参加者は比較的安価に，かつスムーズにライセンスを受けることができる。

　以下，特許ライセンスによる目的，利点を示す。

〈ライセンサー側の目的・利点〉
- 実施料(ロイヤルティ)収入の獲得
- 研究開発費の回収
- ライセンシーによる市場拡大の期待
- ライセンシーによる改良技術(グラントバック条項)の活用
- クロスライセンス
- ライセンシーとの協力関係の維持又は樹立

〈ライセンシー側の目的・利点〉
- 実施利益への期待
- 研究開発費,開発期間の削減
- 自社技術の補完
- 他社ノウハウの蓄積
- 紛争の早期解決
- クロスライセンス
- ライセンサーとの協力関係の維持又は樹立

2 リスク分析

　ここでは,個別の特許ライセンスにおける留意点を示す。ライセンス契約の対象は無形の技術であるため,特許発明の実施をしようとする者(以下「実施予定者」という)は,特許権者との交渉に先立って事前調査をしっかりと行う必要がある。

　まず,実施予定者は,実施を予定する技術と特許権の効力範囲とを確認した上で,特許の有効性を判断しなければならない。特許が無効となるのであれば,そもそもライセンスを受ける必要がなく,ロイヤルティを払うまでもなく自由に実施できる。権利の効力範囲の確認,有効性の判断は往々にして簡単でないことが多いため,自社内に知的財産部がない場合,この判断は弁理士などの専門家に頼らざるを得ないと思われる。仮にライセンスを受けたとして高額なロイヤルティが予測される場合は,特許の有効性について複数の専門家に依頼をかける慎重さも必要である。無効事由が見つかり,特許が有効で

ない旨の心証を得た場合，無効審判を請求することも可能であるが，無効審判を請求しない代わりに無償ライセンスを要求する選択肢もある。

　しかしながら，「特許が有効でない」と判断される場合であっても，現実に無効審判により無効が確定するまでは権利が存続するのであるから，無効であることを前提として特許権者との交渉に高飛車な態度で臨むべきではない。ちなみに無効審判の成功率は１／３前後であり，無効とならない事態も念頭におく必要がある。特許法上，特許権者は特許発明を減縮訂正する機会を有しているため，仮に現在の特許が無効であったとしても，減縮訂正により有効な権利が存続し続ける可能性もある。

　一方，無効であろう特許に高額なロイヤルティを支払うことは，特許権者からのノウハウの供与を主目的とする(特許ライセンス契約の締結がノウハウ取得のための契機に過ぎない)などの特別な場合を除いては，経営陣の責任を追求されかねないので，注意が必要であろう。

　なお，登録になった特許発明だけでなく，出願中の発明もライセンス契約の対象となる。この場合，当然のことながら特許権の成立は不確実であるため，契約書の作成には慎重を期す必要がある。

　また，実施予定者は，ライセンスを受けて予定の製品を製造した場合に，ライセンサー以外の者の権利に抵触するかどうかを調査する必要もある。このとき，特許発明に直接関連する技術(つまり，実施予定者が製品のコアと考えている技術)のみに注意が向きがちであるが，製品の周辺技術にも気を配らなければならない。たとえば，インターネット上での会計処理に関する特許発明についてライセンス契約を結ぼうとした場合に，会計処理に関する抵触調査だけでなく，ユーザに提示する画面インターフェースなど，製品に実装する予定の技術全般にわたる抵触調査が必要となる。なお，権利の抵触調査は，特許関連の調査の中でも最も困難なものの一つであり，完璧に実行することは不可能に近いため，専門家に依頼する場合には，調査範囲及び依頼金額の上限を指定しておくことが好ましい。

　さらに，特許ライセンス交渉において当事者間で確実に利害が対立し，最も重要かつ困難なものが，ロイヤルティの評価である。算定方法に関するさまざまな基準が存在するが，いずれも決定的ではない。互いが利益を主張する

だけでは契約はまずまとまらないため、押したり引いたりのバランス感覚が要求される。そのため、特許権者は自身の特許権の資産価値を評価し、交渉前に許容できる最低ラインを設定しておく必要があり、実施予定者は特許発明の実施により期待できる利益を評価して、許容できる最高ラインを設定しておく必要がある。

　一般に、ロイヤルティの料率が高い方が特許権者にとっては喜ばしいが、逆にロイヤルティ料率を低く(ないしは無料に)設定して、多くのライセンシーを募るというライセンスポリシーもある。これは、市場の拡大を図ることで企業としての全体利益を増やそうとする発想であり、経営ポリシーに直結する。言ってみれば薄利多売の精神であって、最終的にはデファクトスタンダード化までも視野に入れた超戦略的ライセンスといえる。この場合、資産価値の評価には、技術分野の将来性が最重視されることになる。

　一方で、実施予定者にとってはロイヤルティの料率が低い方が喜ばしいが、自分だけの実施を認めてもらえる特典がつけば、話は別である。独占的なライセンス契約を締結すれば第三者の市場参入を排除できるため、ロイヤルティ料率が高くても利益を拡大できる。なお、特許権者側から売込みを行う場合や、両者の企業規模が大きく異なる場合などを除けば、当事者の力関係は特許権者が上となるため、通常、実施予定者はいかにロイヤルティを下げるかに尽力することになる。

　ある調査結果によると、ロイヤルティを決定する上で同種技術のロイヤルティ又は業界慣行に基づくとしたものが、全体の決定要因の過半数を超えているという。これはマーケットアプローチがロイヤルティ決定の主要因となっていることを示すものであるが、特許ライセンスがビジネスそのものである以上、ロイヤルティの評価をマーケットに求めることは至極自然なことと思われる。なお、ロイヤルティの算定手法には従来からさまざまなものが提案されており、これらは数学的に一応の金額をはじきだせるものであるため、マーケットアプローチでロイヤルティを導出する場合にも、目安となる金額を算出するために利用されることになるであろう。

3　関連する法律・許認可など

3.1　特許法

特許ライセンスについて，特許法では以下の条文が規定されている。

（専用実施権）
第77条　特許権者は，その特許権について専用実施権を設定することができる。
2　専用実施権者は，設定行為で定めた範囲内において，業としてその特許発明の実施をする権利を専有する。
3−5　（省略）

（仮専用実施権）
第34条の2　特許を受ける権利を有する者は，その特許を受ける権利に基づいて取得すべき特許権について，その特許出願の願書に最初に添付した明細書，特許請求の範囲又は図面に記載した事項の範囲内において，仮専用実施権を設定することができる。
2　仮専用実施権に係る特許出願について特許権の設定の登録があつたときは，その特許権について，当該仮専用実施権の設定行為で定めた範囲内において，専用実施権が設定されたものとみなす。
3−8　（省略）

（通常実施権）
第78条　特許権者は，その特許権について他人に通常実施権を許諾することができる。
2　通常実施権者は，この法律の規定により又は設定行為で定めた範囲内において，業としてその特許発明の実施をする権利を有する。

（仮通常実施権）
第34条の3　特許を受ける権利を有する者は，その特許を受ける権利に基づいて取得すべき特許権について，その特許出願の願書に最初に添付した明細書，特許請求の範囲又は図面に記載した事項の範囲内において，他人に仮通常実施権を許諾することができる。
2　前項の規定による仮通常実施権に係る特許出願について特許権の設定の

> 登録があつたときは，当該仮通常実施権を有する者に対し，その特許権について，当該仮通常実施権の設定行為で定めた範囲内において，通常実施権が許諾されたものとみなす。
> 3-12（省略）

　日本の特許法上，許諾による実施権として専用実施権及び仮専用実施権と，通常実施権及び仮通常実施権とが規定されているが，これらは法律上，明確に区別されている。

　上記条文にも規定されるように，専用実施権は特許権者によって設定され，また仮専用実施権は特許を受ける権利を有する者によって設定される。専用実施権及び仮専用実施権はそれぞれ特許登録原簿及び特許仮実施権原簿に登録されなければその効力を生じない。このように，専用実施権及び仮専用実施権（以下，代表して「専用実施権」という）は登録が効力発生要件であるため，特許権者は専用実施権の登録義務を負うが，専用実施権の設定後は，特許権者も実施することができなくなり，この点においてわが国の専用実施権は国際的にも特異である。

　この点，英文による契約書では，ライセンス契約の種類を意味するものとして"Exclusive License"（排他的ライセンス）や"Nonexclusive License"（非排他的ライセンス）という用語が使用されるが，このExclusive Licenseは登録を要件とするものではなく，また実際には特許権者の自己実施が留保されることが多い（ただし，自己実施を留保させることは契約書に明記される必要がある）。そのためExclusive Licenseは，わが国の専用実施権を直接指す用語ではなく，国際ライセンス契約において専用実施権を正確に規定するには"Senyou-jisshiken in Japanese law"などのように記載してもよい。いずれにしても国際ライセンスでは，専用実施権の効力範囲を文言で規定する必要がある。ちなみにExclusive Licenseは，契約締結後，重複する範囲においてさらに第三者にライセンスを与えないという義務を課すものであり，契約以前にNonexclusive Licenseが与えられていても問題はない。また「排他的」といっても，それはライセンスを受けた「範囲」内で独占できるだけであり，ライセンスの地域や期間などが重複しなければ，複数のライセンスの併存が認められる。

一方，通常実施権及び仮通常実施権は，許諾（契約）により発生する。そのため，特許権者が認めれば通常実施権が発生し，特許を受ける権利を有する者が認めれば仮通常実施権が発生する。従前は原簿に登録することが第三者に権利関係を主張するための要件（第三者対抗要件）とされていたが，現在では当然対抗制度の導入により原簿登録自体がなくなっている。

3.2　独占禁止法（「私的独占の禁止及び公正取引の確保に関する法律」）

知的財産権に関連して，独占禁止法では以下の条文が規定されている。

> 第3条　事業者は，私的独占又は不当な取引制限をしてはならない。
> 第21条　この法律の規定は，著作権法，特許法，実用新案法，意匠法又は商標法による権利の行使と認められる行為にはこれを適用しない。

公正取引委員会が公表している「知的財産の利用に関する独占禁止法上の指針」は，知的財産のうち技術に関するものを対象として，技術利用に係る制限行為に対する独占禁止法の適用に関する包括的な考え方を示している。

これによると，特許ライセンスにおいて，以下のケースが独占禁止法上，問題となる。

(1) パテントプールの場合
- 一定の技術市場において代替関係にある技術に権利を有する者同士が，それぞれ有する権利についてパテントプールを通じてライセンスをすることとし，その際のライセンス条件（技術の利用の範囲を含む）について共同で取り決める行為が，当該技術の取引分野における競争を実質的に制限するケース
- 一定の製品市場で競争関係にある事業者が，製品を供給するために必要な技術についてパテントプールを形成し，他の事業者に対するライセンスは当該プールを通じてのみ行うこととする場合において，新規参入者や特定の既存事業者に対するライセンスを合理的理由なく拒絶する行為が，当該製品の取引分野における競争を実質的に制限するケース

(2) マルティプルライセンスの場合
- ライセンサー及び複数のライセンシーが共通の制限を受けるとの認

識の下に, 当該技術の利用の範囲, 当該技術を用いて製造する製品の販売価格, 販売数量, 販売先等を制限する行為が, 当該製品の取引分野における競争を実質的に制限するケース

- また, 同様の認識の下に, 当該技術の改良・応用研究, その成果たる技術についてライセンスをする相手方, 代替技術の採用等を制限する行為が, 技術の取引分野における競争を実質的に制限するケース

(3) クロスライセンスの場合

- クロスライセンスに関与する事業者が一定の製品市場において占める合算シェアが高い場合に, 当該製品の対価, 数量, 供給先等について共同で取り決める行為や他の事業者へのライセンスを行わないことを共同で取り決める行為が, 当該製品の取引分野における競争を実質的に制限するケース

- 技術の利用範囲としてそれぞれが当該技術を用いて行う事業活動の範囲を共同して取り決める行為が, 技術又は製品の取引分野における競争を実質的に制限するケース

(4) 技術を利用させないようにする行為

- 自己の競争者がある技術のライセンスを受けて事業活動を行っていること及び他の技術では代替困難であることを知って, 当該技術に係る権利を権利者から取得した上で, 当該技術のライセンスを拒絶し当該技術を使わせないようにする行為が, 競争者の競争機能を低下させることで, 公正競争阻害性を有するケース

- ある技術に権利を有する者が, 他の事業者に対して, ライセンスをする際の条件を偽るなどの不当な手段によって, 事業活動で自らの技術を用いさせるとともに, 当該事業者が, 他の技術に切り替えることが困難になった後に, 当該技術のライセンスを拒絶することにより当該技術を使わせないようにする行為が, 当該他の事業者の競争機能を低下させることで, 公正競争阻害性を有するケース

- ある技術が, 一定の製品市場における事業活動の基盤を提供しており, 当該技術に権利を有する者からライセンスを受けて, 多数の事業者が当該製品市場で事業活動を行っている場合に, これらの事業者の一部に対

して，合理的な理由なく，差別的にライセンスを拒絶する行為が，事業者の一部の製品市場における競争機能を低下させることで，公正競争阻害性を有するケース

(5) 技術の利用範囲を制限する行為
- ライセンサーがライセンシーに対し，当該技術を利用して製造する製品の製造数量又は使用回数の上限を定める行為が，市場全体の供給量を制限する効果をもち，公正競争阻害性を有するケース

(6) 技術の利用に関し制限を課す行為
- ライセンサーがライセンシーに対し，原材料・部品その他ライセンス技術を用いて製品を供給する際に必要なもの（役務や他の技術を含む）の品質又は購入先を制限する行為が，必要な限度を超えて，ライセンシーの競争手段を制約し，また代替的な原材料・部品を供給する事業者の取引の機会を排除する効果をもち，公正競争阻害性を有するケース
- ライセンス技術を用いた製品の販売の相手方を制限する行為（ライセンサーの指定した流通業者にのみ販売させること，ライセンシーごとに販売先を割り当てること，特定の者に対しては販売させないこと　など）が，公正競争阻害性を有するケース
- ライセンサーがライセンシーに対し，ライセンス技術を用いた製品に関し，販売価格又は再販売価格を制限するケース

4　契約書チェックポイント

4.1　国内ライセンス契約　　　　　　　　　モデル契約書1-1

　最初の例は，甲が乙に対して特許発明の通常実施権を与えるものであり，以下において簡単な解説の後に実例を掲げる。なお，単一ライセンスのモデルである。

- 定義（第1条）
　日本企業同士の契約書では，本条のような（定義）の条項を設けないことも多いが，定義を最初におくことで，契約書の作成が容易になる利点があ

る。許諾製品がリースされるような場合,「販売価格」にはリース料が含まれることを明記するのが望ましい。

- 実施権の許諾（第2条）

  特許権の実施許諾の場合, 通常実施権か専用実施権かを特定する。

- 実施権の範囲（第3条）

  実施権の範囲は, 明確にしなければならない。なお, 製品の数量等を制限する場合には, その旨を記載する。

- 他者に対する実施権の許諾（第4条）

  甲が, 乙以外の者にも実施権を許諾可能である旨を確認的に規定している。ただし, 通常実施権のうち, いわゆる「独占的通常実施権」と呼ばれるものについては, 重複する範囲について, 甲が乙以外の者に通常実施権を許諾できないことを明記することが好ましい。

  なお, 永続的な独占的通常実施権は与えないが, 契約開始後の一定期間において, あたかも独占的な実施権を与えたかのような状態を形成することもできる。いわゆる「ヘッド・スタート（Head Start）」と呼ばれるライセンシーの優遇措置であり, 以下のような条項で表現できる。

> 本契約締結の日付から [　　] 年間, 甲は, 乙に競合する他者に対し, 特許発明を実施する権利を許諾してはならない。本契約締結の日付から [　　] 年の経過後, 甲は乙の同意を得なくとも, 特許発明の実施に関する通常実施権を他者に許諾することができる。

- 再実施許諾の禁止（第5条）

  通常実施権の場合, 一般に乙による第三者への再実施許諾は禁止されるが, たとえば甲が特許発明を広く普及させてデファクトスタンダード化を狙う場合や, ライセンス料が増えることを重視する場合には, 再実施許諾を認めることもありうる。

  なお, 乙が下請業者に特許発明に係る製品の製造を委託する場合, 乙の自己実施として認められるためには, 下請業者は, 乙に全量を引き渡さなければならない。下請業者が乙以外に販売すれば, その販売行為は侵害を構成することになる。

- 技術情報の提供（第6条）

　たとえば甲が大学（の研究者），乙が甲の研究成果を製品化する企業の場合，ノウハウを含む技術情報は甲が保有しているため，この条項は非常に重要な意義をもつ。乙側からすると，ライセンスを受けても実施できないのでは意味がないため，甲が保有するすべての技術情報の提供を欲するが，甲側からすると，研究の根幹にかかわる重要なノウハウの流出は避けたいところであり，また，時間や労力をできるだけ抑えたい事情もある。そのため，甲としては，第3項に規定するように，発生費用を乙に負担させる必要があり，また技術指導の人員を派遣するような場合には，月当たりの上限時間を定めるなど，無限に負荷が発生する事態を回避するような工夫をすることが好ましい。

- 実施料（第7条）

　実施料には，継続実施料，定額実施料及び両者の組合せがある。「許諾製品の販売価格の5％」と定めるのは，継続実施料に相当する。

　定額実施料の一つに，一定期間内に所定金額の支払いを義務づけられる最低実施料がある。これは，予想したほど許諾製品が販売されなかった場合の甲の最低保証である。

- 権利侵害への対応（第10条）

　乙からすると，第三者の権利侵害に際しては，甲に積極的に対応してもらいたいと思うものである。ただし，モデル契約書では，甲乙の力関係（甲＞乙）から甲が積極的に侵害排除を行うことまでは規定されていない。

- 改良（第11条）

　乙が改良発明をなし，甲が乙の改良発明を使いたい場合には，甲に実施許諾・譲渡する旨を規定する「グラントバック条項」が盛り込まれることもある。

- その他の規定

　本例にはなかったが，以下のような条項を導入することができる。

第○条（秘密保持）
乙は，本契約の契約期間中及び契約終了後［　　］年間，甲から秘密保持を条件

に提供された一切の技術情報を秘密として扱い，事前の書面による甲の同意なしに第三者にこれを開示してはならない。ただし，当該技術情報について，既に公知であること，乙が第三者から秘密保持義務を負うことなく正当に入手したこと，乙が甲から技術情報を提供された時点で既に保有していたこと，又は乙が甲から提供された技術情報によらずして独自に開発したことが書面にて立証できるものについてはこの限りでない。

2　甲は，本契約の契約期間中及び契約終了後 [　　　] 年間，実施監査又は関連発明の通知により乙から知り得た技術情報及び営業情報（双方とも乙が秘密保持を求めていないものを除く）を秘密として扱い，事前の書面による乙の同意なしに第三者にこれを開示してはならない。ただし，当該技術情報又は営業情報について，既に公知であること，甲が第三者から秘密保持義務を負うことなく正当に入手したこと，甲が乙から当該技術情報もしくは営業情報を知った時点で既に保有していたこと，もしくは甲が乙から知り得た技術情報によらずして独自に開発したことが書面にて立証できるもの，又は行政運営上，公開が必要なものについてはこの限りではない。

以上の秘密保持条項は，別途，秘密保持契約として締結することもある。

第○条（最恵待遇）
　　甲が，許諾製品と同等の製品に係る特許発明の実施権を本契約において乙に許諾したよりも低い実施料率で第三者に許諾した場合，乙は，甲と本契約で定めた実施料率について再協議できるものとする。

本例では実施料率が「許諾製品の販売価格の5％」と定めているが，第三者に，これよりも低い料率でライセンスする場合には，乙が実施料率を再協議できると規定する。ただし，あくまでも再協議ができるだけであるから，それによって料率が下がるとは限らず，甲に有利な規定となっている。

第○条（不争義務）
　　乙は，本件特許権の有効性に関して争ってはならない。また，第三者が本件特許権の有効性に関して争う場合に，乙は，その第三者に，本件特許権の有効性に関するいかなる情報を与えてもならない。

これは，乙による無効審判の請求を禁止する規定である。

特許ライセンス契約書

○○○○(以下「甲」という)と△△△△(以下「乙」という)とは,以下に定める発明に関して,[　　　]年[　]月[　]日付で,以下に定める発明に関して,次の条項によって実施契約(以下「本契約」という)を締結する。

第1条(定義)

本契約においては,以下の定義が適用される。
(1)「本件特許権」とは,甲が所有する日本国特許第[　　　]号をいう。
(2)「特許発明」とは,本件特許権の明細書及び／又は図面に記載の本件特許権に係る発明をいう。
(3)「許諾製品」とは,乙が日本国内で販売又はリースする製品のうち,特許発明を組み込んでいるものをいう。
(4)「技術情報」とは,特許発明の実施に有用な甲の技術知識・経験を伝達する可視的及び非可視的媒体・サービスのうち,本契約の期間中に乙に提供することができるものをいう。
(5)「販売価格」とは,許諾製品の販売価格及びリース料の合計(消費税を含まない)をいう。

第2条(実施権の許諾)

甲は特許発明(ただし,許諾製品の製造・販売(リースも含む)に必要な限りにおいてのみ)を実施するための通常実施権を乙に許諾する。

第3条(実施権の範囲)

前条の実施権の範囲は,次のとおりとする。
地域　　日本国内
期間　　[　　]年[　]月[　]日より[　　]年[　]月[　]日まで
内容　　特許発明の全部

第4条(他者に対する実施権の許諾)

甲は,乙の同意を得ることなく,特許発明の実施を乙以外の者にも許諾できる。
2　前項の場合,甲は,事前に乙にその旨書面にて通知する。

第5条(再実施許諾の禁止)

乙は,第三者に特許発明の実施を許諾することができない。

第6条（技術情報の提供）
　甲は乙に対し，本契約締結後 [　　] 日以内に特許発明の実施に必要な技術情報を文書によって提供する。
2　乙が前項以外に特許発明の実施に必要な技術情報の提供を望むときは，甲にその技術情報を提供するよう依頼できる。
3　前2項に規定する技術情報の提供に要する費用は，乙が負担する。

第7条（実施料）
　実施権の対価として，乙は，本契約の期間中乙が日本国内において販売したすべての許諾製品の販売価格の5％に相当する実施料を甲に支払うものとする。
2　乙は，毎年6月30日及び12月31日から1ヵ月以内に，直前6ヵ月間の許諾製品の売上高及び前項により計算された実施料について，甲及び乙により別途合意した書式による報告書を提出するものとする。
3　当該6ヵ月間において前項の売上がない場合には，乙は，当該6ヵ月間について売上がない旨を明記した報告書を提出するものとする。
4　実施料の支払いは，第2項に定める報告書提出期間と同一期間内までに，甲が定める銀行口座への電信振込により行われるものとする。
5　前項に定める支払期限までに実施料の支払いが行われなかった場合には，支払期限の翌日から支払日までの日数に応じ，年率7％で計算した延滞金が乙に請求されるものとする。
6　一旦甲に支払われた実施料は，いかなる理由があっても返還されないものとする。

第8条（帳簿）
　乙は，実施料額を算定する際の基準とされ，かつ直前1年間に行った日本国内における許諾製品の製造・販売に関する正確かつ完全な帳簿を保管する。乙は，合理的な時間帯に，合理的な予告を受けた上で，当該帳簿を甲による査察に供するものとする。

第9条（甲の免責）
　乙は，乙が第三者の所有する権利を侵害し，又は乙と第三者との間に法的な紛争が発生した場合，甲が乙又は第三者に対し何ら責任を負わないことに同意する。

第10条（権利侵害への対応）
　甲と乙は，本件特許権の侵害の事実又は侵害のおそれがあることを知ったときは直ちに相手方当事者に通知しなければならない。
2　乙は，甲から要求があれば，こうした侵害の排除又は防止に必要とされる一切

の合理的な支援を提供する。

第11条（改良）
　各当事者は，特許発明に基づく改良，発明，考案又は意匠に関して，日本国内で特許出願，実用新案登録出願又は意匠登録出願を行う場合には，速やかに相手方当事者に通知することに同意し，その結果生ずる特許権，実用新案権又は意匠権の使用許諾に関して相互に協議する。ただし，甲が開発した改良であって，乙が許諾製品を製造・販売するために必須のものについては，追加の実施料を支払うことなく，実施が許諾されているものとする。

第12条（契約の変更）
　各当事者は，業況に重大な変動が生じたときは，甲と乙の相互の書面による合意により本契約を変更・修正することができる旨合意する。

第13条（解除）
　各当事者は，以下の事由のいずれか一が発生したときは，相手方当事者に予告しなくても，本契約を解除することができる。
　（1）相手方当事者が支払不能となったとき，又は相手方当事者に対し差押，競売，破産，民事再生手続開始，会社更正手続開始又は特別清算開始の申立てが行われ，60日以内に取消し又は取下げが行われないとき。
　（2）相手方当事者が手形交換所の取引停止処分を受けたとき。
　（3）相手方当事者が租税の滞納処分を受けたとき。
2　相手方当事者が本契約上のいずれかの義務に違反した場合には，一方の当事者は，違反をした当事者に通知を行い，当該通知の日付から30日以内に違反を是正するよう求めることができる。違反をした当事者が当該期間内に違反を是正しなかったときは，当該一方の当事者は，本契約を解除することができる。
3　前項により本契約を解除した当事者は，違反をした当事者が生じせしめた損害に対する賠償請求権を失わないものとする。

第14条（契約の期間）
　本契約は，本契約の締結直後から全面的に開始され，その後3年間有効に存続する。ただし，本契約は，一方当事者から相手方当事者に対し，本契約を更新せず，現行期間の満了をもって本契約を満了する旨を予め書面で通知した場合を除き，さらに1年間自動的に更新される。
2　本契約は，前項の定めにもかかわらず，本件特許が無効となったとき，及び前項の定めにもかかわらず，前条が適用されたときは，本契約の期間中であっても終

了する。

第15条（契約費用）
　本契約の締結に関して必要な費用は，甲及び乙がそれぞれ自己の経費を負担する。

第16条（疑義の決定）
　本契約に規定なき事項については，甲及び乙が協議して定めるものとする。

第17条（裁判管轄及び準拠法）
　本契約に関する訴えは，[　　　　]地方裁判所を第一審の専属的管轄裁判所とする。
2　本契約の成立及び効力，ならびに本契約に関して発生する問題の解釈及び履行等については，日本国の法律に準拠するものとする。

　本契約の締結を証するため，本契約書2通を作成し，甲及び乙がそれぞれ1通を保管する。

　　　　　　　　　　　　　　甲　〇〇〇〇
　　　　　　　　　　　　　　　　所在地
　　　　　　　　　　　　　　　　代表者　　　　　　　　㊞

　　　　　　　　　　　　　　乙　△△△△
　　　　　　　　　　　　　　　　所在地
　　　　　　　　　　　　　　　　代表者　　　　　　　　㊞

4.2 国際ライセンス契約　　　☞モデル契約書1-2

　次の例は，特許権者である日本企業ABCが，デラウェア州所在の米国企業XYZに対して通常実施権を与えるものであり，4.1で既述した甲乙間の「ライセンス契約書」と一部重複したものである。契約に際しての基本的な考えは同じであり，以下，国際ライセンスの注意点を示す。

- WHEREAS clause
　説明条項であり，本ライセンスの背景を記述するものである。
- 源泉徴収税の扱い（第4条(5)）

　「ライセンシーは，法律上免除されている場合を除き，ライセンサーのために，ロイヤルティの支払いに際し支払われるべき源泉徴収税額を源泉徴収し，ライセンサーによる税金の支払いにより税金の税額控除を受け，二重課税を回避するために必要とされる書類をライセンサーに交付するものとする」と規定している。

　国際間のライセンス契約に基づくロイヤルティの支払いには，ライセンシーの国での所得税が課される。本例でのライセンサー（日本企業ABC）は，ライセンシー（米国企業XYZ）から受領するロイヤルティについて，米国税法に基づいて源泉徴収税を支払うことになる。

　逆に，ライセンサーが外国企業で，ライセンシーが日本企業である場合，ライセンシーが支払う源泉徴収税率は，ライセンサーの国籍により租税条約で定められる適用税率が異なっているため注意されたい。

- ライセンサーの瑕疵による損害への防御・補償（第9条(2)）

　「本契約に別段の定めがあるとしても，それにもかかわらず，ライセンサーは，ライセンシー，その関連会社ならびにそれらのそれぞれの役員，取締役，従業員，代表者，代理人，弁護士，継承人及び譲受人（以下「ライセンシー関係者」という）に対し，ライセンシー関係者が被った一切の請求，裁判，損失及び損害のうち，(a)ライセンサーによる表明又は保証に虚偽の内容が存在したこと，及び(b)ライセンサー（又はライセンサーの関連会社もしくはそれらのそれぞれの役員，取締役，従業員，代表者，代理人，弁護士，継承人及び譲受人）が本契約上の義務を履行しなかったことについて，補償及び

防御し，ライセンシー関係者に損害や責任が生じないようにする。」と規定
している。
　英文契約書において，よく使用される定型文である。

PATENT LICENSE AGREEMENT

THIS LICENSE AGREEMENT (this "Agreement") made this [   ] day of [   ], 20xx:

BY AND BETWEEN:

ABC Corporation, a corporation incorporated under the laws of Japan, with its principal address at [   ], Japan (Hereinafter referred to as "the Licensor")
PARTY OF THE FIRST PART;

AND:

XYZ Corporation, a corporation incorporated under the laws of the state of Delaware, with its with principal address at [   ], USA (Hereinafter referred to as "the Licensee")
PARTY OF THE SECOND PART.

WHEREAS:

(A) The Licensor is the registered proprietor of the Patent (as hereinafter defined) and has the exclusive right to the Patented Invention (as hereinafter defined).

(B) The Licensee is desirous of obtaining a right to manufacture, sell and distribute its products in Japan.

(C) Such products may include or incorporate such Patented Invention and the Licensee thus seeks a license to include or incorporate such Patented Invention into any items it manufactures and then distributes in Japan.

NOW THEREFORE, in consideration of the mutual promises and covenants herein contained, the parties agree hereto as follows:

ARTICLE 1.   DEFINITIONS

For the purposes of this Agreement, the following definitions shall apply:
(a) "Patent" shall mean the Japanese Patent No. [   ] owned by the Licensor.
(b) "Patented Invention" shall mean the invention of the Patent.
(c) "Licensed Products" shall mean the products sold and distributed by the

Licensee in Japan which incorporate the Patented Invention.
(d) "Technical Information" shall mean visible and invisible media and service conveying technical knowledge and experience of the Licensor useful for the Working of the Patented Invention, which can be provided to the Licensee during the term of this Agreement.
(e) "Sales Price" shall mean the sales price and lease fee (exclusive of any applicable consumption tax) for the Licensed Product.

ARTICLE 2. GRANT OF LICENSE

The Licensor hereby grants to the Licensee a non-exclusive and non-transferable license for utilizing the Patented Invention to manufacture and sell the Licensed Products.

ARTICLE 3. DISCLOSURE OF TECHNICAL INFORMATION

The Licensor will disclose Technical Information which the Licensor thinks necessary for utilizing the Patented Invention at the Licensee's request.

ARTICLE 4. ROYALTY

(1) The Licensee shall pay to the Licensor a royalty of five percent (5%) of the Sales Price of all Licensed Products sold and delivered in Japan by the Licensee during the term of this Agreement.

(2) The Licensee shall submit a written report in a format the Licensor and the Licensee agree within one (1) month after June 30 and December 31 of each year, reporting the sales of the Licensed Product in Japan for the preceding six (6) months' period and the royalty calculated based on the sales in accordance with the paragraph (1) of this Article.

(3) In the case where there are no sales during a given 6-month period described in the paragraph (2) of this Article, the Licensee shall still submit a written report for that 6-month period indicating the absence of any sales.

(4) The payment of the royalty shall be made in United States Dollars by wire transfer to a bank account designated by the Licensor within one (1) month after June 30 and December 31 of each year; provided, however, that upon the conversion of the sums from Japanese Yen to United States Dollars hereunder

shall be calculated on the basis of the conversion rate that is equivalent to Telegraphic Transfer Selling Rate as of, as the case may be, June 30 and December 31, as specified by [   ] Bank, Ltd.

(5) The Licensee shall, on behalf of the Licensor, withhold any withholding tax payable on the payment of the royalty, and shall provide the Licensor with necessary documents to have the tax credited by Licensor's payment of the tax and to avoid double taxation, unless released by any applicable law from the obligation to do so.

(6) If the payment of the royalty is not made within the payment term set forth in paragraph (5) above, a penalty of seven per cent (7%) of the royalty per annum shall be charged to the Licensee until the payment of the royalty is made.

(7) The royalty once paid to the Licensor under this Agreement shall by no means be refundable.

ARTICLE 5. ACCOUNTING AND RECORDS

The Licensee shall keep accurate and complete records and accounts (a) from which the amount of the royalties payable under this Agreement may be calculated and (b) which relate to the manufacture, sales and distribution of the Licensed Products in Japan that have occurred in the preceding one (1) year. The Licensee shall make those records and accounts available for inspection by the Licensor at reasonable times and upon reasonable notice.

ARTICLE 6. LICENSOR INDEMNITY

(1) The Licensee agrees that the Licensor bears no responsibility to the Licensee or any third party regarding Licensee's infringement of any rights owned by a third party or legal disputes arising between the Licensee and any third party.

(2) The Licensee shall indemnify and hold harmless the Licensor from any and all claims and disputes arising out of, or in connection with, the sale of the Licensed Products.

(3) Notwithstanding the previous sections, the Licensor agrees that, in the event of a dispute involving a patent or utility model right owned by a third party, the Licensor shall provide, at the Licensee's request, information necessary or useful for resolving the dispute between the Licensee and the third party.

ARTICLE 7. PROCEEDING AGAINST THIRD PARTY FOR INFRINGEMENT

(1) The Licensor and the Licensee forthwith upon coming to its knowledge shall notify the other of any infringement or threatened infringement of the Patent.

(2) The Licensee shall at the Licensor's request render all reasonable assistance necessary for abating and preventing such infringement.

ARTICLE 8. IMPROVEMENTS

Each party agrees to immediately inform the other party upon filing any patent application, application for utility model registration, or application for design registration in Japan regarding an improvement, invention, device, or design based on the Patented Invention and shall mutually consult on licensing the resulting Patent, utility model right or design right. Licenses for any Improvements developed by Licensor that are necessary and essential to utilizing of the Patented Invention shall be granted without any additional payment other than defined in **Article 4** of this Agreement.

ARTICLE 9. REPRESENTATIONS, WARRANTIES, COVENANTS, AND CONDITIONS PRECEDENT

(1) Notwithstanding anything to the contrary in this Agreement, the Licensor hereby represents and warrants to the Licensee that:
   (a) The Licensor is a corporation incorporated under the laws of Japan and is the owner and registered proprietor of the Patent.
   (b) The Licensor is entitled to grant the license granted hereunder and that such grant will not violate any applicable law, regulation, rule, or ordinance or any of the Licensor's constitutive documents or any agreement with any third party.

(2) Notwithstanding anything to the contrary in this Agreement, the Licensor shall indemnify, defend, and hold the Licensee, its affiliates, and its and their respective officers, directors, employees, representatives, agents, attorneys, successors, and assigns (the "Licensee Parties") harmless from and against any and all claims, suits, losses, and damages suffered by any Licensee Party that relates in any way to any of (a) any representation or warranty of the Licensor being untrue and (b) any failure by the Licensor (or by the Licensor's affiliates or any of its or their respective officers, directors, employees, representatives, agents, attorneys,

successors, and assigns) to perform its obligations under this Agreement.

ARTICLE 10.　AMENDMENTS

Each party agrees that, in the event of a critical change in the business environment, this Agreement can be amended and modified by mutual written agreement of the Licensor and the Licensee.

ARTICLE 11.　TERM

(1)　This Agreement shall commence in full immediately after execution of this Agreement and shall continue for the three (3) year period following such commencement; provided, however, that this Agreement shall automatically renew for successive one (1) year terms unless, prior to the expiration of the then-current term, a party notifies the other party in writing that this Agreement (i) shall not be so renewed and (ii) shall expire upon the expiration of the then-current term.

(2)　This Agreement shall terminate before the term of this Agreement (a) when the Patent is invalidated, notwithstanding **Article11** (1) and (b) by operation of **Article12**, notwithstanding **Article11** (1).

ARTICLE 12.　TERMINATION

(1)　Each party shall have the right to terminate this Agreement in the event of occurrence of any of the following events without giving notice to the other party.
  (a)　In the event that the other party becomes insolvent or that a petition in seizure, auction, bankruptcy, civil rehabilitation, reorganization of corporation or special liquidation is filed against the other party and not dismissed or withdrawn within sixty (60) days.
  (b)　In the event that disposition by suspension of business is executed by a clearinghouse against the other party.
  (c)　In the event disposition for failure to pay tax or public levy is executed against the other party.

(2)　If the other party breaches any obligation under this Agreement (including without limitation **Article4**), the non-breaching party may send a notice asking to remedy the breach within thirty (30) days after the date of that notice. If the breaching party does not remedy such breach within such period, the non-breaching party may terminate this Agreement.

(3) A party that terminates this Agreement under section (2) of this Article shall not lose any rights to claim compensation for damages caused by the breaching party.

ARTICLE 13. GOOD FAITH EFFORTS

Subject to **Article15**, the parties shall make good faith efforts to resolve in an expedient manner any matter which may not be specifically provided for in this Agreement or any dispute which may arise under this Agreement.

ARTICLE 14. LANGUAGE

This Agreement shall be executed in both the Japanese and English language. However, if there are any differences or inconsistencies between the two versions, the Japanese version shall prevail.

ARTICLE 15. GOVERNING LAW

This Agreement (and all matters relating in any way to its construction, validity, and performance) shall be governed by and construed in accordance with the laws of Japan.

ARTICLE 16. DISPUTE RESOLUTION

(1) Notwithstanding anything to the contrary in **Article13**, the parties agree to negotiate in good faith to resolve any dispute between them regarding this Agreement. If the negotiations do not resolve the dispute to the reasonable satisfaction of all parties within thirty (30) days, section (2) of this Article shall apply.

(2) In the event the parties are unable to settle a dispute between them regarding this Agreement in accordance with section (1) of this Article, such dispute shall be settled by arbitration in Tokyo in accordance with the UNCITRAL Arbitration Rules (the "UNCITRAL Rules") in effect, which rules are deemed to be incorporated by reference into this section (2). The arbitration tribunal shall consist of three arbitrators to be appointed according to the UNCITRAL Rules. The language of the arbitration shall be Japanese, and the appointing authority shall be the Japan Commercial Arbitration Association.

IN WITNESS WHEREOF the Parties hereto have executed this Agreement on the date and year first above written:

ABC Corporation

By:

Its:

XYZ Corporation

By:

Its:

第2章
商標ライセンス契約

村田 雄祐● *Yusuke Murata*

1　ビジネスモデル

　商標には，同じ商標が付されている限り，需要者が期待する商品の品質やサービスの質が同じであることを保証する機能（＝品質保証機能）がある。その品質や質に対する評価が高まり，その商標が周知・著名になるほどグッドウィル（業務上の信用，顧客吸引力）が化体し，「ブランド」としての価値が定着する。「ブランド」のオーナーはその価値を利用して利益を得たいと考え，第三者もまたそのグッドウィルを借りて利益を得たいと考える。そこで，商標をライセンスするビジネスへとつながる。

　ライセンス形態でよく知られるのは，自社ブランドを他国企業や他メーカーに使用許諾する形態である。たとえば，未進出である他国の企業へ許諾するケースや，自国も含めて自社製品以外のジャンルについて他社へ許諾するケースである。前者の場合，他国企業とマスターライセンス契約をし，再許諾の権限を与えてサブライセンスを展開させる方法もある。一方，後者の場合，ネクタイはA社，ハンカチはB社というように商品ごとに異なる会社へライセンスする形態も多い。ライセンサーとしては，未進出の国や自社で製造販売しない製品にも自社ブランドを浸透させることができるだけでなく，ライセンシー企業からロイヤルティを得ることで，自力で展開しなくとも利益を上げることができる。ライセンシーにとっても，既に知られたブランドを利用することで確実に顧客を獲得でき，認知度の低い自社商標を付すより売上が見込める。

　一方で，ライセンス収入よりも，多数企業にライセンスすることで自社技術・自社ブランドを広めたり，シェア獲得のための「囲い込み」を目的としたりする戦略もある。たとえば，コンピュータ周辺機器の接続や無線通信などの規格の名称やロゴの商標を各メーカーに広く無償ライセンスするような形態で

ある。規格や仕様の認知度を高めて製品を囲い込めば，その関連製品の売上増加などに結びついて多大な利益となって返ってくることが期待される。

その他，現在も将来も使用予定のない商標について他社へ使用許諾するモデルもある。たとえば，他社の商標がたまたま自社の登録商標の類似範囲に属していたような場合に，その他社へ使用許諾する形態である。商標権者に法的に認められている独占使用権は，あくまでも登録商標を指定商品・指定役務について独占使用できる権利であって，類似範囲での使用が積極的に認められているわけではない。しかし，商標権は類似範囲での使用行為を排除できる排他権でもあり，その範囲での第三者の使用行為に対して侵害を問わない旨のライセンス契約も事実上可能であるため，商標権を活用した収益源となりうる。

2　リスク分析

ライセンスを通じて自社ブランドを他社に展開させるビジネスは，ライセンサー自ら商品開発や販路開拓，店舗展開などの多大な投資をするのに比べてリスクが低いモデルといえるが，ライセンシーの商品の品質やサービスの質が低ければ，それまでその商標について獲得していた信用に傷がつき，ブランドの価値低下に直結するリスクは伴う。信用を失うのは一瞬なのに対し，失われた信用を回復させるのは容易でないため，ライセンシー商品の品質を徹底して管理・監督することはブランドにとって生命線である。一方，ライセンシーに過剰な数量目標を設定すると，品質低下や商品のだぶつきによる価格低下につながるおそれがあるので，慎重を要する。また，商品の流通は国際性に富むため，他国にライセンス供与することで，並行輸入により本国に流入してしまう可能性があることも考慮すべきである。

ロイヤルティは，ライセンシーの売上に連動した形をとることが多いが，契約後の状況変化によりライセンシーの売上が当初予想より少なくなる場合も見越して，ミニマムロイヤルティをあわせて設定しておくのがライセンサーにとって望ましい。

一方，ライセンシーは，ライセンス実効化の大前提として，許諾される国（地域）における適法な商標の使用を確保しなければならず，ライセンス対象の

商標が登録されているか,少なくとも商標登録出願がなされていることを確認すべきである。さらには,ライセンサーが適法な権利者であるか否かも確認しておかなければならない。既に商標登録がなされている場合は,少なくともライセンス許諾期間中は商標権が消滅してしまわないよう適切に更新登録がなされるよう,ライセンサーに働きかけるべきである。

　また,契約満了時に契約更新できなければ,その後はその商標を付した商品やサービスを事実上提供できなくなるリスクがある。契約内容によっては,ライセンサーの意思で契約解除されてしまうリスクもある。契約が終了する場合,その商標を付した商品やサービスを提供できなくなるだけでなく,ライセンサー自らがその地域でその商標を付した商品・サービスの提供に乗り出せば,競合関係となってそれまでの顧客を奪われてしまうリスクもある。

3　関連する法律・許認可など

3.1　日本の商標法

　日本国内の使用許諾に関しては,日本の商標法の下で商標の適法な使用が確保される必要がある。ライセンサーである商標主が商標とその商標を使用する商品・サービスを指定した商標登録出願を特許庁へ提出し,各登録要件の審査を経て商標登録を受ける。商標登録によって独占排他的な商標権が発生し,指定された商品・サービスについての商標の使用を独占的に使用でき,第三者は商標権者の許諾なくしてその商標を使用することはできなくなる(25条)。

　使用許諾には,独占的な使用権である専用使用権を設定する場合と,非独占的な使用権である通常使用権を設定する場合とがある。専用使用権の場合,ライセンス契約の締結だけではその独占性の効力は発生せず,設定を特許庁へ登録しなければならない(30条)。通常使用権の場合,ライセンス契約の締結だけで当事者間に関しては効力を生ずるが,第三者に対抗できる効力を生じさせるためには,同様に設定を特許庁へ登録する必要がある(31条)。

　商標権は,商標権者及び使用権者が継続して3年以上不使用であった場合,第三者の審判請求により登録が取り消される可能性がある(50条)。したがっ

て，商標権者であるライセンサー自身がライセンス対象の商標や商品を使用しない場合には，登録取消の危険を排除すべくライセンシーによる使用を促す必要がある。

また，商標権は，専用使用権者又は通常使用権者が需要者に対して品質誤認を生じさせるような態様で商標を使用した場合，不正使用として第三者の審判請求により登録が取り消される可能性がある(53条)。したがって，ライセンサーはライセンシーによる使用態様を適切に指導・監督する必要がある。ただし，商標権者が不正使用の事実を知らなかった上で相当の注意をしていた場合は取消しを免れる(同条1項但書)。

3.2　米国の商標法

米国における商標法は，連邦制定法(ランハム法)，州制定法，コモンロー(common law)で構成され，相互に矛盾が生じたときはこの順に適用される。ランハム法では，コモンローで認められてきた概念として「商標」の定義を広範に認めている。具体的には，"The term trademark includes any word, name, symbol or device, or any combination thereof" (15 USC 1127)と規定されている。コモンロー上は，商標を使用していれば自然に商標権が発生するが，それを連邦登録か州登録することによってさらに厚く保護される。

米国における独占的な使用権(exclusive right)は，その使用権者だけでなく商標権者自身にも使用が認められている点で日本での「専用使用権」と異なるため，米国での使用を対象とする場合には，独占使用権のライセンス契約であっても，商標権者の使用を可能とするか契約に明記しておく必要がある。

連邦登録された商標の場合，州や地域ごとに使用権の範囲を分けた契約は反トラスト法に抵触して無効となるおそれがあるため，米国全体を許諾範囲とすべきである。

3.3　不正競争防止法／特許法／意匠法／著作権法

特許庁へ登録されていない未登録商標でも，周知又は著名であれば不正競争防止法により一定の保護を受けられ(同法2条1項1号，2号)，類似する商標などの使用行為を不正競争行為として排除しうる(同法3条)。

商標のライセンス契約に伴い、商標を使用する商品の製造や販売に関するノウハウ（製造方法、販売方法、店舗レイアウト、陳列方法、店員知識など）を提供する契約を結ぶ場合がある。これらは「トレードシークレット」とも呼ばれ、日本では不正競争防止法において「営業秘密」（同法2条1項4号など）として保護され、米国ではトレードシークレット法により保護されうる。また、商標を使用する商品が特許権や意匠権で保護されている場合には、各権利の実施権についても許諾を受ける必要がある。さらに、商標のデザインに著作物の絵が含まれるような場合には、著作権に基づく利用許諾を受ける必要がある。

4　契約書チェックポイント

4.1　国内ライセンス契約　　　　　　　☞モデル契約書2-1

ここでは、商標権者であるABC株式会社（甲）が、XYZ株式会社（乙）へ登録商標の通常使用権を設定する契約例について説明する。

- 目的（第1条）

  使用権が設定される対象となる商標権の内容を明らかにしている。ここでは、登録商標の登録番号と指定商品を明記しているが、商標が未登録（出願中）の場合は出願番号を記載する。

- 範囲・期間・内容（第2条）

  商標権の権利範囲のうち使用権の設定範囲（商品や地域）に限定があれば、ここに明記する。乙の全商品に許諾する場合は別として、商品は可能な限り詳細に、たとえば型番等も指定するのが望ましい。項目が多い場合は、別紙の「商品目録」などとして添付すればよい。

- 使用料（第3条）

  使用料の設定方法はさまざまだが、ここではランニングロイヤルティ方式の一つである料率方式を例示している。商標権の存続期間は10年ごとに更新する限り半永久的であり、使用権による利益獲得も長期的な場合が多いため、イニシャルペイメント方式よりもランニングロイヤルティ方式が好まれる。ただし、ライセンサーとしては、ライセンシーの販売数量や売上高

が当初予定を下回る場合も想定し，ミニマムロイヤルティをあわせて設定しておくのが望ましい。その場合，たとえば以下のような第2項を設ける。

> 2　前項の規定にもかかわらず，乙は甲に対して，毎月［　　　］円の最低使用料を支払うものとする。

- 登録（第4条）

　前述のとおり，通常使用権の設定は登録しなければ第三者に対抗できないため，このような条項を設けている。

- 使用（第5条）

　商標は，商品の表札のようなものであり，需要者に正しく認識されることが重要である。

- 報告（第6条）

　前条のような乙による正当な使用方法を甲が確認できるようにするとともに，ライセンス料の算定根拠となる資料を提出させる趣旨である。

　なお，ブランドとして確立した商標の場合には，乙がどのような方法で表示するかについて，甲はあらかじめ検査をしてブランドの品質維持に努めるべきである。その場合，事後報告ではなく，以下のように事前の検査を義務づけることも一般的である。

> 　乙は，パンフレット・広告・ラベル等に本件登録商標を使用する際，その使用に先立ち，甲に見本を3部提出し，甲の検査を受け，承認を得るものとする。

- 侵害排除（第7条）

　非独占的な使用権は法律上物権ではなく債権に過ぎず，非独占的な使用権者である乙は，自ら単独では第三者による商標権侵害行為を排除することができないため，甲による侵害排除を求める必要がある。甲には努力義務を課し，乙には協力義務を課す条項である。

- その他

　輸入，ノウハウ，特許権，意匠権，著作権などのライセンス契約を伴う場合，本例のライセンスと別個に締結してもよいが，本例の中に条項を設けてしまうことも多い。

商標使用許諾契約書

ABC株式会社(以下「甲」という。)と株式会社XYZ(以下「乙」という。)は,以下のとおり商標使用許諾契約を締結する。

第1条(目的)
　甲は,乙に対し,甲の所有する次の商標権(以下「本件商標権」という。)について,通常使用権を設定する。
　　商標登録第[　　　]号　第[　　　]類　商品名[　　　　　]

第2条(範囲・期間・内容)
　通常使用権の範囲・期間・内容は次のとおりとする。
　　範囲　　[　　　　　　　　　]
　　期間　　[　　　]年[　　]月[　　]日から[　　　]年[　　]月[　　]日までの[　　　　]とする。
　　内容　　製品[　　　　　]に関する商標

第3条(使用料)
　乙は,甲に対し,使用料として,製品[　　　　　]の販売高に販売価額の[　　]パーセントを乗じた額を,毎月[　　　]日締切で清算し,毎月[　　　]日までに,甲の指定する銀行口座に送金して支払う。

第4条(登録)
1　乙は,本契約締結後,自己の費用をもって本件商標権について,通常使用権設定の登録手続をすることができる。
2　甲は前項の登録手続に協力する。

第5条(使用)
　乙は,甲の商標であることを公衆が明確に認識できる方法で本件商標権を使用し,適切な商標表示の使用及び甲の名称の表示を行う。

第6条(報告)
　乙は,甲に対し,パンフレット・広告・ラベル等の本件登録商標を使用した一切の資料とともに,製品[　　　　　]の販売数量や売上金額を含む本件登録商標の使用状況について,毎月[　　　]日までの分について報告書を作成し,毎月[　　　]日までに提出する。

第7条（侵害排除）
　　乙は，本件商標権の第三者による侵害又は侵害のおそれのある行為を知ったときは，直ちに甲に通知し，甲乙協力して侵害排除に努める。

第8条（契約解除）
1　甲又は乙は，相手方が本契約に違反したときは，本契約を解除することができる。
2　前項の場合，解除した甲又は乙は，相手方に対し，生じた損害の賠償を請求することができる。

第9条（合意管轄）
　　本契約に関する紛争の第一審管轄裁判所は，東京地方裁判所とする。

第10条（協議）
　　本契約に定めのない事項，もしくは，本契約の条項の解釈に疑義が生じた事項については，甲乙協議の上，円満解決を図るものとする。

以上のとおり，商標権通常使用権設定契約が成立したので，これを証するため本契約書を2通作成し，甲乙各記名押印の上，各1通を所持する。

　　　　年　　月　　日

　　　　　（甲）住　所
　　　　　　　　会社名
　　　　　　　　役　職
　　　　　　　　氏　名　　　　　　　　　　　　㊞

　　　　　（乙）住　所
　　　　　　　　会社名
　　　　　　　　役　職
　　　　　　　　氏　名　　　　　　　　　　　　㊞

4.2 国際ライセンス契約

☞モデル契約書2-2

ここでは，米国の登録商標のオーナーであるABC社がXYZ社に対し，その商標の日本における独占的な使用権をライセンスする例を説明する。

- WHEREAS Clause（前文）

  本契約に至った経緯として，ライセンサーが商品商標だけでなく商号，サービスマーク，商品パッケージを有すること，ライセンシーがそれらのライセンスを受けようとしていること，ライセンサーとライセンシーの両者が商標のグッドウィルを維持するために協力しようとしていることが確認的に記載されている。

- 定義（第1条）

  本条項では，商標のライセンスで特に重要となる「商標」「許諾商品」「許諾地域」を意味する語句について必ず定義すべきである。

  本契約では，ライセンスの対象が商品商標，商号，サービスマーク，商品パッケージ（外観のイメージ）と多岐にわたるため，これらを総合的に"Trademarks"の定義に含めることとしている。また，対象となる商標や商号は，文字のみで構成されるものからデザイン化されたロゴや文字とロゴの組合せなど多岐にわたる場合もあり，これらの詳細を別紙（Exhibit A）にまとめることで契約書そのものを簡素化している。なお，この契約は米国法人が所有する商標を日本で使用する場合のライセンスであるから，別紙において商標等の英語表記のみならず日本語表記（カタカナ表記）もライセンスの対象であることを明記しておきたい。

  本契約では「許諾商品」についてライセンシー及びサブライセンシーから提供されるすべての商品やサービスを含める包括的な定義にしているが，それら一つひとつの詳細を「商標」の定義と同じように別紙にまとめる形でもよい。

- 許諾内容（第2条）

  (a)では，ライセンシーに対し独占的な使用権（exclusive license）と再許諾（sub-license）の権利を与えている。XYZ社は商社や広告代理店のように，自らが製造・販売しなくともマスターライセンシーとしてサブライセン

シーからのサブライセンス料で収益を上げることもできる。
　(b)では，この商標を使用した結果としてライセンシーに何らかの権利が発生することはなく，すべて商標の所有者であるライセンサーに帰属する旨を明確にしている。契約が解除されたときに問題が生じるおそれもあるため，確認的に記載している。

- 商標の使用（第3条）

　具体的に許諾される行為を(a)で明らかにしている。(b)においては，ライセンシーにおける商品の品質を維持するために必要な措置を定めている。商品の品質に対する評価はライセンシーよりも商標（ブランド）の価値に結びつくためである。

- ライセンス料（第4条）

　本契約では，イニシャルペイメント方式とランニングロイヤルティ方式を組み合わせた体系をとっている。(a)は契約締結の際に支払うべきライセンス料を規定し，(b)は契約締結後にライセンシーの売上に応じて支払うべきライセンス料を規定する。(b)のランニングロイヤルティの詳細は別紙(Exhibit B)に定め，ライセンス料算出のための売上報告書の提出を(c)に定めている。

　イニシャルペイメントとランニングロイヤルティのバランスはさまざまである。また，ランニングロイヤルティの料率は，年度を重ねても一定のままにする方式と，年度ごとに段階的に率が変化する方式とがある。後者は，ライセンシーの初期投資を考慮して最初の料率を下げておいて後から徐々に上げていくものである。売上に応じて料率を変える方式，たとえば売上が高くなるほど料率が下がる方式もある。

- 帳簿（第5条）

　第4条(c)にいう売上報告書の正しさをライセンサーが確認できるよう，ライセンシーに正確な帳簿の記録とその保管を求めるものである。

- 商標の登録（第6条）

　ライセンスの対象地域（国）においてライセンサーが適切に商標の登録と保護を図るべきことを定めている。適切に登録された商標であっても，たとえば日本であれば10年ごとに登録の更新がなされる必要がある。

- 第三者による侵害（第7条）

    ライセンシーを第三者による侵害行為や不正競争行為から保護するための規定である。

- 許諾期間（第8条）

    本例では，許諾期間の終期はとくに設けておらず，原則として無期限に継続することとなる。存続期間が有限である特許権などを対象とする場合はライセンス期間も有限に設定されるのに対し，商標権は登録を更新する限り半永久的に権利が存続しうるためである。

    一方，ライセンサーとライセンシーのいずれも契約解除を申し出ることができる形となっている。許諾期間を原則的に無期限にした関係上，ライセンサーとライセンシーの両者とも解除できる余地を残さなければ，公序良俗違反として契約無効とされるおそれがあるためである。いわゆる無限契約は，日本に限らずどの国でも契約無効となりうるため，注意を要する。ライセンシーの売上状況が芳しくない場合に他の企業へライセンスしなおす余地を残したいライセンサーにとっては好都合であるが，ライセンシーにとっては契約の継続担保がビジネスを継続させるための絶対条件でもあるため，交渉により，たとえば最初の5年間は原則として契約を解除できないようにするなど，規定内容を検討したい。契約の継続性を担保する方法としては，契約期間が自動更新される方式をとることもできる。

- 契約解除時の権利（第12条）

    契約解除のときに残存するライセンシーの商品在庫の扱い方について定めている。本契約では所定期間内に販売か廃棄をするよう定めているが，もしその商品がライセンサーの商品ラインアップにも属するものであって，ライセンサー自身が販売することに問題がないような場合には，ライセンシーから安く買い取ることができるような規定にすることも考えられる。

TRADEMARK LICENSE AGREEMENT

This License Agreement, made and entered into effective April 1, 2020 ("Effective Date"), between ABC Corporation ("Licensor") and XYZ Corporation ("Licensee").

WHEREAS, Licensor is the owner of certain trademarks, trade names, service marks and package used in connection therewith;

WHEREAS, Licensee desires to obtain an exclusive license of said trademarks, trade names, service marks and package used in connection therewith for use in connection with its products and services; and

WHEREAS, Licensor and Licensee desire to promote and maintain the good will and excellent reputation for quality now associated with the services and goods sold under the Trademarks and desire to maintain the Trademarks.

NOW, THEREFORE, the parties do hereby agree as follows:

Article 1   Definitions

"Trademarks" shall mean collectively all of the trademarks, trade names and service marks defined on Exhibit A hereto and any package used in connection with such trademarks.

"Licensed Products" shall mean any clothing or other product or service manufactured, distributed, sold or provided by Licensee or any sub-licensee.

"Territory" shall be Japan.

Article 2   Grant of License

(a)   Licensor hereby grants to Licensee the exclusive license of the Trademarks in connection with the manufacture, distribution, advertising and sale of any of Products in the Territory and to sub-license the Trademarks to others for use in connection with the Products in the Territory provided the quality control protections afforded by this Agreement are incorporated in any such sub-license.

(b)   All proprietary rights and goodwill in the Trademarks shall inure to the benefit of Licensor and not Licensee. Licensee shall acquire no property rights in the Trademarks by reason of its use thereof.

Article 3   Use of the Trademarks

(a)   Licensee and any sub-licensee may use the Trademarks on all of Licensee's Products distributed by Licensee or any sub-licensee and on all packaging, advertising and promotional materials used in connection with Products.

(b)   Licensee covenants that Products shall be quality. Licensee shall forward five (5) sample products to Licensor before commencing any sales and advertising. If Licensor determines that Licensed Products are not of sufficient quality, Licensee agrees to improve the quality of Licensed Products so as to meet the Licensor's request.

Article 4   Payment

(a)   Licensee hereby agrees to pay Licensor a fee of US$10,000, due upon execution of this Agreement, for the license granted herein.

(b)   Licensee agrees to pay to Licensor royalties, in U.S. Dollars and as set forth in Exhibit B, based on the sales of the Products distributed by or on behalf of Licensee.

(c)   Within thirty (30) days following the end of each calendar quarter during the term of this Agreement, Licensee shall render to Licensor a statement showing in reasonable detail the sales of the Licensed Products. Such statement shall be accompanied by payment of the amounts then due.

Article 5   Record

Licensee will keep and maintain, for a period of two (2) years, proper records and books of account relating to Licensee's marketing and distribution of the Licensed Products. Licensor may inspect such records to verify Licensee's statements. Any such inspection will be conducted only by independent public accountants during regular business hours at Licensee's offices in a manner that does not unreasonably interfere with Licensee's business activities. Such inspection shall be at Licensor's cost and expense; provided, however, if the audit reveals overdue payments of the payments owed to date, Licensee shall pay the cost of such audit (s).

Article 6　Registration of Trademarks

Licensor shall use reasonable efforts to obtain and maintain registrations for the Trademarks in the Territory to the extent available in accordance with the terms and conditions of this Agreement. All costs of protection and registration of the Trademarks shall be borne by licensee.

Article 7　Infringement by Others

Licensor and Licensee each shall immediately notify the other of any action of which it obtains knowledge which might constitute any infringement or unfair competition with regard to the Trademarks. Licensor may take action with respect to any such infringement or unfair competition. If Licensor or Licensee determines to take action or proceeding to protect the Trademarks in the Territory, all expenses (including attorney's fees) incurred in any such action or proceeding shall be borne by Licensee.

Article 8　Term of License

(a) This Agreement shall be effective as of the Effective Date and shall continue in full force and effect indefinitely, unless terminated earlier as provided in Article 8(b) hereof.

(b) Both parties shall have the right to terminate this Agreement at any time on sixty (60) days' prior written notice to the other party.

Article 9　Licensor's Representations

Licensor represents and covenants that:
(i) The Licensor has the corporate power to execute, deliver and perform its obligations under this License Agreement, and has taken all corporate action necessary to permit it to do so.
(ii) Licensor represents that, to the best of its knowledge, the Trademarks do not, as of the date hereof, infringe any contract, copyright, trademark or other property right of any third party in the Territory.
(iii) Licensor shall not make use of the Trademarks on any of Licensed Products in the Territory without the prior written consent of the Licensee.

Article 10 Licensee's Representations

Licensee represents and warrants that:

(i) The execution and delivery of this Agreement and the performance by Licensee of the transactions contemplated hereby have been duly authorized by all appropriate corporate action; and

(ii) The performance by Licensee of any of the terms and conditions of this Agreement on its part to be performed will not constitute a breach or violation of any other agreement or understanding, written or oral, to which it is a party.

Article 11 Indemnification

(a) Licensor agrees to indemnify and hold harmless Licensee from and against any and all claims, liabilities, costs, damages and expenses, including attorney's fees and accrued costs incurred by Licensee in connection with or arising from any breach by Licensor of any of its covenants contained in this Agreement, and from any breach of any representation or warranty of Licensor contained in this Agreement.

(b) Licensee agrees to indemnify and hold harmless Licensor from and against any and all claims, liabilities, costs, damages and expenses, including attorney's fees and court costs, incurred by Licensor in connection with or arising from any breach by Licensee of any of its covenants contained in this Agreement, and from any breach of any representation or warranty of Licensee contained in this Agreement.

Article 12 Rights Upon Termination

Upon termination of this Agreement, Licensee shall have the right to sell or otherwise dispose of existing Licensed Products within one hundred twenty (120) days.

Article 13 Governing Law

This Agreement shall be governed by and construed in accordance with the Laws of Japan. Any suit, action or proceeding concerning this Agreement shall be brought in Japan and handled by the Tokyo District Court.

Article 14   MISCELLANEOUS

(a) Entire Agreement. This Agreement constitutes the entire agreement between the parties and supersedes all prior agreements and understandings, oral and written, between the parties with respect to the subject matter hereof.

(b) Successors and Assigns. The terms and conditions of this Agreement will inure to the benefit of, and be binding upon, the respective successors and assigns of the parties hereto. This Agreement and the license may not be assigned, in whole or in part, by Licensee without the prior written consent of Licensor.

(c) Modification and Waiver. No amendment, modification or alteration of the terms or provisions of this Agreement will be binding unless the same is in writing and executed by both parties hereto. No waiver of any of the provisions of this Agreement will be deemed to or will constitute a waiver of any other provision hereof. No delay on the part of any party to this Agreement in exercising any right, power or privilege hereunder will operate as a waiver thereof.

(d) Severability. If any provision of this Agreement or the application of any such provision to any person, party or circumstance will be held invalid, illegal or unenforceable in any respect by a court of competent jurisdiction, such invalidity, illegality or unenforceability will not affect any other provision of this Agreement and this Agreement will remain in full force and effect.

(e) Force Majeure. Force Majeure means any event that is beyond the party's reasonable control and cannot be prevented with reasonable care of the affected party. In the event that the affected party is delayed in or prevented from performing its obligations under this Agreement by Force Majeure, only within the scope of such delay or prevention, the affected party will not be responsible for any damage by reason of such a failure or delay of performance.

(f) Headings. The headings of the articles contained in this Agreement are inserted for convenience only and will not be deemed to constitute part of this Agreement or to affect the construction thereof.

IN WITNESS WHEREOF, the parties have duly executed this Agreement as of the date first above written.

                                  ABC Corporation

                                  By_____
                                  Jane Doe, President

                                  XYZ Corporation

                                  By_____
                                  John Doe, President

第3章
著作権ライセンス契約

森下 賢樹 ● *Sakaki Morishita*

1 ビジネスモデル

　ベストセラーの小説，興行成績を塗り替える映画，ミリオンセラーのヒット曲。これらの「商品」は私たちの周りに溢れている。しかし，こうした「商品」は創作物であり，その取引の本質は著作権ビジネスに根ざしている。この点に気づくと，著作権ビジネスは，現代社会の多様なビジネスの中でも，実に巨大なビジネスであることが分かる。

　俗に「著作権」というが，より広い概念は，「著作者の権利」である。「著作者の権利」は，おおまかに，財産権としての著作権と，著作者人格権とを含む。これらを区別することなく著作権といっている場合も多いが，本来は「著作者の権利」イコール「著作権」ではなく，この点の認識不足が著作権のライセンスを不明瞭にしていることがある。

　財産権としての著作権には，さらに，出版，上映，展示，譲渡など，著作物の利用態様に従い，多数の支分権が定義されている。著作権は支分権の束としての性格をもつ。しかも，著作物そのものとは別に著作物を実演する者（俳優や演奏家など）にも独自の権利，すなわち著作隣接権が発生する。この点もまた，ライセンスビジネスを難しくしている。

　たとえば話題の本を映画化し，公開する。映画のDVDを製作し，販売する。翻訳本を作って海外で出版する。こういったビジネスにおいては，まず本の著者（原作者，クラシカルオーサー）が著作者の権利をもっている。そもそも本を出版するときには，原作者から複製権ないし出版権の獲得が要る。仮にそれができても，出版にあたり原作を勝手に変えてしまうと原作者の著作者人格権を侵すことがある。

　つづいて映画化を図る際，原作からの翻案権が要る。一旦映画ができる

と,今度は映画会社などの映画製作者が(映画の著作者ではないにもかかわらず),原則として映画の著作権をもつ。しかし,映画監督(モダンオーサー)にも映画に関する著作者人格権が発生している。

DVDの製作と販売には,映画の著作権や著作者人格権が関係する。翻訳のためには原作者から翻訳権の獲得が必要であるが,一旦翻訳ができあがると,翻訳者にも翻訳に関する著作権が生じる。翻訳本の出版には原作者だけでなく翻訳者の権利も絡む。

このように著作者の権利には多数の注意点がある。通常,法律で規定する権利というものは,ある程度理念から素直に定義できることもあるが,とりわけ著作権の支分権については,それぞれがビジネスの態様に直結しており,法律よりもビジネスが先行しがちである。法律がすべての状況をカバーしきれない以上,ライセンスビジネスに関わる私たちは,著作権ビジネスの本質を十分に理解しておく必要がある。ハリウッドの映画産業や昨今の音楽配信事業に代表されるように,著作権ビジネスはあらゆるビジネスの中でも花形的存在であり,今後もそうであるに違いない。著作権に関するビジネスほど多岐にわたるものも珍しい。

2　リスク分析

通常の商品と違い,著作権ビジネスでは「買う」という行為が,一般には所有権の移転を伴わない。たとえば,アプリケーションソフトを購入したとき,ユーザに認められるのは「使用してもよい」というライセンスに過ぎない。パッケージソフトはあたかも一般的な商品かのごとく売られているが,そのソフトウェアの所有権はソフトウェアの著作者側に残っている。

著作権ビジネスにおいて,ライセンサーもライセンシーも,この本質をきちんと理解することが肝要であり,とりわけライセンシーは,「使用してよい」というだけでビジネスに支障がないかを確認すべきである。この点の認識が薄いためにビジネスが破綻するケースもある。

次のリスクは,著作権が複雑な権利の集合体という点に起因する。ビジネスを企画しても,誰にどのようなライセンスを求めるべきかが分かりにくいこ

とが多い。ライセンスが欲しければ、まずは権利の主体と客体（内容）を的確に把握しなければならない（これは当たり前に聞こえるであろうが、ライセンサーになり得ない者から「ライセンスを受けている」例は意外とある。先の映画化の例では、原作者はもはや映画著作物について著作権者ではないので、映画のDVD化において原作者からライセンスをもらって安心しても意味がない）。さらには、一人からライセンスを得れば足りるとも限らない。このことは上述の翻訳や著作隣接権（パフォーマーズライト）の例からも分かる。繰返しになるが、著作権という権利の性質、権利の主体と客体の明確化がリスク回避の要諦である。

3 関連する法律・許認可など

3.1 著作権法

著作権法は、当然、根拠となる法律であるが、ここでわざわざ挙げたのは、最近の法改正が極めて頻繁かつ本格的なためである。専門家でも改正をきちんとフォローしていくのが大変である。実務家は、著作権法に関しては、わずか1年前の知識でも危ないという意識が必要であり、常に最新の条文に当たるべきである。

3.2 特許法／商標法／意匠法

仮にソフトウェアに特許がある場合、著作権ライセンスだけでそのソフトウェアを使用できるのかという問題がある。ライセンサーは自らの特許の存在を知っているべきであるから、それにもかかわらず著作権のみをライセンスした場合には、特許についても「暗黙のライセンス」が与えられているという考え方もある。しかし、やはり後に争いがないよう、著作権のみのライセンス契約でなく、著作権と特許を合わせたライセンス契約（たとえば、著作権ライセンス契約の中に特許に関する条項があるような契約）としておくべきである。

同様の趣旨で、ライセンスの対象物の商標が登録商標として保護されていたり、対象物のデザインに意匠権が発生している場合、やはりこれらの権利

も併せてライセンスを受けるべきである。ただし，商標については，ライセンシーの製品にもライセンサーの商標を付すべきか，まずはこの点から議論が必要である。

4 契約書チェックポイント

4.1 国内ライセンス契約
☞モデル契約書3-1

　最初の例は，個人である甲がそのエッセイの出版権を出版社乙に許諾するものであるが，個人の著作物に関するライセンス契約に，ある程度共通のものとして利用できる。以下，簡単な解説の後に実例を掲げる。

- 目的（第1条）
　「出版権」を許諾の対象としている。著作権はいろいろな支分権の集合体であるから，そのいずれの権利が許諾の対象であるかを明確にしなければならない。

- 契約期間（第2条）
　著作権法81条には，出版権者の出版義務が規定されている。原則として，出版権者は原稿を入手して6ヵ月以内に出版する義務を負うとともに，慣行に従い，継続して出版する義務も負う。さらに83条によれば，出版権について存続期間の定めがない場合，出版権の設定後最初の出版があった日から3年で出版権が切れる。以上の規定は重要である。しかし，いずれも契約で別段の定めをおくこともできるため，甲乙で最適な期間を定めることになる。

- 印税（第4条）
　印税の決め方にはいろいろあるが，「発行（又は実売）部数×定価×印税率」による計算は一つの標準である。印税率は作家の流行度，本の分野その他によって大きく変化する。単行本の場合，印税率は10％程度とも言われるが，新人作家の場合，低いことが多い。本にもよるが，著者への無償寄贈部数を確保する代わりに印税率をゼロにする形態もある。
　本例では，甲は最初の2,000部に対して固定額を受け取るため，この部

分は買取印税のようになっている。しかし，2回目以降の発行 (2,001部以降) についても売上印税が支払われるため，全体の形としては甲に有利なものとなっている。しかし，印税率による調整が可能なため，その点も考慮すれば，甲乙いずれが有利とも決めがたい。

　売上印税を規定すると，乙の経理処理が煩雑になる。出版社は多数の作家を相手にしているため，その労力はばかにならない。そのため，買取印税のみで，初回一括払いで決着する契約も多い。なお，著作権法82条2項によれば，出版権者は複数回にわたって複製をする場合には，その複製のつど，あらかじめ著作者にその旨の通知が必要とされる。

- 排他的使用（第5条）

　作品が売れはじめると，乙以外の出版社から出版の申し出がくる場合もある。そのような場合こそ，乙は出版権を独占的にもっていたいところである。実は，著作権法80条は，出版権者は著作物をそのまま印刷その他複製する権利を専有する（独占する）という規定である。したがって，乙が出版権者となれば，本契約の本条は確認規定としての意味をもつ。

- 権利の登録（第7条）

　出版権の登録は第三者対抗要件であるため，乙は許諾後速やかに登録することが望ましい。

- 二次的著作物（第11条）

　作品が好評で，その二次的著作物に対しても要望がある場合の取決めである。本条では，乙が甲の代理人的な役割を担う。一般に，甲が二次的著作物の権利処理に詳しくない限り，乙に委ねることができれば，別の著作に集中できるなど，メリットもある。乙も二次的著作物の管理に対して一定の収益を期待しうる。

- その他の規定

　本例にはなかったが，以下のような条文をケースバイケースで導入していくことができる。

　　a.　著作者人格権

　　　著作者の権利は，著作権と著作者人格権（以下「人格権」と略す）に分けられる。人格権には，公表権，氏名表示権，同一性保持権があるが，出

版の際に問題になりやすいのは,同一性保持権である。人格権は著作権のような財産権とは異なり,いわば名誉に関する一身専属性の権利のため,譲渡不可能とされる。したがって,乙が何らかの都合で本エッセイの内容,表現又は書名に変更を加えたい事情が生じても,通常はそれが許されない。そこで,そのような場合には「あらかじめ甲の承諾を必要とする」というような規定を設け,協議の余地を残す方法がある。

人格権が後で問題にならないよう,一般にライセンシーの側では,あらかじめライセンサーに「人格権を放棄してもらう」考えもある。しかし,人格権の放棄はベルヌ条約(「文学的及び美術的著作物の保護に関するベルヌ条約」。著作権に関する国際条約である)にも日本の著作権法にも規定がない。日本では,内容を問わない包括的な放棄を事前に取り付けることはできないとも考えられ,また,「権利不行使」の約束を取り付けることも,範囲が限定されない限りやはり問題がある。ただ,英国などでは,書面による放棄を認めているため,このあたりは日本でどう扱われるか,いまだグレーゾーンである。

b. ©表示

「乙は,甲のために,出版物の適切な個所に©マーク,甲の氏名,第一発行年を表示する。」などの規定がある。

c. 贈呈

「乙は,初版第1刷の際,○○部,増刷のたびに○○部を甲に無償で贈呈する。」という規定も一般的である。その際,無償で甲に贈呈された部数を印税の計算から外すという規定も併せて入れておくことが多い。

d. 契約期間終了後の頒布

いわゆる在庫がある状況で契約が切れるのは乙にも酷であるため,たとえば,「第○条で規定したロイヤルティを支払うことを条件として,乙は本契約の有効期間終了後においても,本エッセイの在庫を頒布することができる。」などの規定を設けることがある。乙としては欲しい規定である。しかし,甲とすると,乙がいつまでも実施を続けるための言い訳とならないよう,「頒布は許すが,新たな製造は許されない」などと明確化しておきたい。

出版契約書

○○○○ (以下「甲」という) と株式会社△△△ (以下「乙」という) とは，甲が著作者としての権利を有するエッセイの出版について以下の通り契約した．

第1条（目的）
　甲は乙に対し，書名 [旅と……] (以下「本エッセイ」という) に関する出版権を設定する．

第2条（契約期間）
1　本契約の有効期間は2020年10月1日より2022年9月30日までとする．
2　甲は本エッセイの原稿全部を2020年11月30日までに乙に引き渡し，乙は本エッセイを2021年1月31日までに発行する．
3　本契約は，期間満了の3ヵ月前までに甲乙いずれかから文書をもって終了する旨の通告をしないときは，さらに1年延長され，以降も同様とする．

第3条（出版の態様と部数）
　本エッセイの出版は，別紙目録に示す判及び装丁にて行う．第1回の発行部数は2,000部とする．

第4条（印税）
1　乙は，本エッセイの印税として，第1回の発行部数に定価の [　　] ％を乗じた金額を2021年2月28日までに甲に支払う．
2　第2回以降の発行が行われた場合，乙はその実売部数に定価の [　　] ％を乗じた金額を四半期ごと甲に支払う．

第5条（排他的使用）
　甲は，この契約の有効期間中に，乙の許可なく，本エッセイの全部もしくは一部を転載ないし出版せず，あるいは他人をして転載ないし出版させないものとする．

第6条（類似著作物）
　甲は，この契約の有効期間中に，本エッセイと明らかに類似する内容の著作物もしくは本エッセイと同一書名の著作物を出版せず，あるいは他人に出版させないものとする．

第7条（権利の登録）
　乙は，自己の費用で，出版権の登録することができる。登録にあたり，乙から要望があれば甲は協力をするものとする。

第8条（権利侵害）
1　甲は，本エッセイが他人の著作権その他の権利を侵害しないことを保証する。
2　本エッセイにより他人の権利侵害などの問題が生じた結果，乙に損害を与えた場合，甲はその責を負う。

第9条（校正）
　本エッセイの校正は甲の責任とする。ただし，甲は校正を乙に委任することができる。

第10条（費用）
　本エッセイの著作に必要な費用は甲が負担し，本エッセイの出版に関する製作，販売，宣伝に係費用は乙の負担とする。

第11条（二次的著作物）
　本契約の有効期間中に，本エッセイが翻訳等，演劇・映画・放送・録音・録画・貸与等，その他二次的に使用される場合，甲はその使用に関する処理を乙に委任し，乙は具体的条件について甲と協議の上決定する。

第12条（著作権及び出版権の譲渡）
　甲又は乙が，著作権又は出版権を第三者に譲渡しようとするときは，互いに相手方の書面による承諾を必要とする。

第13条（契約解除）
　甲又は乙は，他方の当事者が本契約に定めた事項に違反したときは，契約を解除することができる。

第14条（合意管轄）
　本契約に関する紛争の第一審管轄裁判所は，東京地方裁判所とする。

第15条（協議）
　本契約に定めない事項，もしくは，本契約の条項の解釈に疑義が生じた事項については，甲乙協議の上，円満解決をはかるものとする。

上記契約の証として本契約書を2通作成し，当事者双方署名あるいは記名捺印の上，各自1通を保有するものとする。

　　　年　　月　　日

　　　　　　　（甲）　住所
　　　　　　　　　　　氏名　　　　　　　　　　　　　　　　㊞

　　　　　　　（乙）　住所
　　　　　　　　　　　会社名
　　　　　　　　　　　氏名　　　　　　　　　　　　　　　　㊞

4.2　国際ライセンス契約①　　　　　☞モデル契約書3-2

次の例では、ABC社が所有する「Blue Lion」というタイトルのグラフィックデザインをXYZ社にライセンスする。本例は国際的な契約が英文でなされているとはいえ、本質は著作権ライセンスであり、権利が移転しないことの根本理解と、権利主体・客体の明確化が大事である。以下、いくつかのポイントを解説する。

- リサイタル

ライセンサーABCはカリフォルニア州の法人である。米国では、会社法は連邦法ではなく、州法なので、「US corporation」のような書き方はない。一方、ライセンシーXYZは日本の会社で、ステイショナリー（文房具）の製造販売を業とし、ライセンスを受けたデザインを製品に付して販売する。なお、日本では、company limitedの略を「Co., Ltd.」のように書くが、欧米の弁護士に聞くと、本来は「Co. Ltd.」又は「Co Ltd.」が正しいという。

- ライセンスの目的（第1条）

独占権ではなく、譲渡もできないライセンスを設定している。その内容は、ライセンサーの「Blue Lion」(the Work、以下「作品」という)をXYZの製品(Product)に含む形で(つまり、表面に印刷等して)製造販売してよい、というものである。ただし、ライセンシーが日本国内に有する店でのみ販売が許可されている。これは販売地域と販売形態を同時に指定していることになる。なお、ライセンサーとすると、作品がどのような製品に付されるか気になるところである。そのため、あらかじめ付録等において、製品を具体的に指定することがある。

- 期間（第2条）

契約期間は3年とし、以降、1年を単位として延長できる規定である。英文契約書では、数字は「three (3)」のように、数字はアルファベットの英単語の後に括弧書きされる。この例では「両者が合意したら延長」としている。そのため、明示的な合意という行為がないとライセンスが切れてしまうので、ライセンシーは注意を要する。ライセンシーとしては、「明示的に契約終了の意思表示をしない限り1年単位で延長される」という規定が安

全である。その場合，たとえば以下のような規定となる。

> Agreement shall be extended for successive one (1) year terms unless, prior to the expiration of the then-current term, a party notifies the other party in writing that the Agreement shall not be so extended.

なお，「term」は期間を意味し，似た言葉に「terms」（条件）と「termination」（契約の解除ないし解約）があるので，注意が必要である。

● 契約の終了（第3条）

a.項は一般的な規定で，60日の猶予期間の後に契約が終わる旨，b.項はライセンシーがライセンサーから借りていたオリジナルの見本その他の資料を返却する規定，c.項は，契約終了に伴い，ライセンシーは製造，販売等の行為を即座に停止することを命ずるものである。

ただ，契約終了時に残っている在庫品の処分は，ライセンシーとして大きな問題である。契約終了と同時に廃棄するほかないとなると，在庫の量によっては大きな打撃となる。その場合，「契約が終了すれば（以降の製造はできないが），在庫の販売のみは，ロイヤルティの支払いを条件として，ある期間だけは認める」という考え方がある。その例は以下のとおり。

> Notwithstanding the foregoing, Licensee may sell off existing Product provided Licensee continues to pay the running royalty defined in article X. Such period, however, shall not exceed three (3) months from the date of termination.

● ライセンスの譲渡禁止（第4条）

ライセンシーは許諾を受けた権利を譲渡，サブライセンス等をしてはならないという規定。ライセンシーの現場はあまり気にしない規定だが，現実には事業部門が切り売りされることもある。ありうる事態は規定しておくほうがよい。

● ライセンス料の支払い（第5条）

a.項は初期費用に関する規定である。ライセンスをもらった，という事実に対する支払いのため，どれだけ売れるかは関係がない。b.項ではランニングロイヤルティについて，3,000個までは2ドル，それ以降は3ドルとし

て, 事業が軌道に乗るまで安くしている。c.項では報告書の提出義務について定めており,「due」は「支払い期限が来た」の意味を表す。d.項はライセンサーによる立入調査について規定している。

- 検査（第6条）

  ライセンサーによるライセンシーの製品の検査規定。ライセンサーは作品が正しく利用されていることを確認する必要がある。製品の品質が低ければ, ライセンサーの作品の価値や印象に影響しかねないためである。デザインの場合, 色調や質感なども気になる問題である。なお, ライセンシーとしては, 検査結果がいつ出るか分からないというのも困るため,「2週間以内に回答がなければ検査に合格したとみなす」などの文言を加えることもある。

- 著作権表示（第7条）

  著作権がライセンサーにあることを示す表示をライセンシーの製品にも付すことを要求している。

- 損害賠償の限度等（第8条）

  ライセンサーによる損害賠償責任の限度を定めるもので, いかなる場合も, ライセンシーから支払われた額を上限としている。それ以外のどのような損害や損失についてもライセンサーは責任を負わない旨の規定となっている。UCC（米国統一商事法典）によれば, 商品保証の限度や排除に関わる条項については「目立つように」(conspicuous) 書かないと, 裁判で認められないとされる。一般には大文字で書くが, カラーが使える場合は赤などで書いてもよい。

- ライセンシーによる補償（第9条）

  ライセンシーの製品が第三者の知的財産権その他の権利を侵害しても, ライセンサーには一切損害を発生させないという補償規定。ライセンサーを「火の粉がかからない」状態におくためのHold harmless規定とも呼ばれ, 定型的な条項である。

- 完全合意（第10条）

  完全合意条項と呼ばれ, 本契約に至る過去の交渉経緯等はすべて本契約の内容で置き換えられ, 本契約の内容のみが有効であることを確認し, ま

た，契約の修正や変更は両当事者の署名のある文書のみによって可能であることも確認している。一般的な条項である。
- 準拠法（第11条）
  米国の法律，及びカリフォルニア州法を準拠法とする趣旨である。
- その他の条項
  本例にはないが，その他の一般的な項目は以下のとおりである。実例としては他章のひな形も参照されたい。

Waiver：権利放棄に関する条項である。本契約の条項に関して権利主張をしなかった場合でも，後の主張に影響しない（つまり権利を放棄したわけではない）旨を規定する。

Severability：可分性又は契約の一部無効に関する条項である。契約の一部が行使できなくなっても，それ以外の部分には影響せず，また，無効になった部分も，適用法の範囲で最も合理的に解釈しようというもの。

Notices：通知の方法，通知の相手，通知の効力発生タイミングなどを規定する。

Captions：各条項の見出しは参照のためにあり，内容の解釈に影響しない旨を明記する。

Force majeure：天災等の不可抗力によって契約違反の状況になった場合は賠償責任を負わないなどの規定。

Survival：契約終了後（解除後）も効力を有する規定を明記する。

Representations：当事者が表明する内容を明記する。たとえば，「自分が知る限りこの権利は完全に有効である」，「私は確かにライセンスをする立場にある」など。

Official language：両当事者の言語が異なり，両言語で契約書を書いた場合，ここでいずれの言語の契約書を正本とするかを規定する。

COPYRIGHT LICENSE AGREEMENT

This Agreement (the "Agreement") is made as of the date below (the "Effective Date") by and between ABC Limited ("Licensor"), and XYZ Co. Ltd., with its principal place of business at 22-11-12 Ebisu-Nishi, Tokyo, Japan ("Licensee").

RECITALS

A. Licensee is a Japanese corporation, engaged in manufacturing and selling stationery products at Licensee's shops in Japan.

B. Licensor is a California corporation and owns the copyright to the graphic design work "Blue Lion" (the "Work") and is willing to allow Licensee to manufacture and sell Licensee's stationery products (the "Product") incorporating the Work under the terms herein set forth.

NOW THEREFORE, in consideration of the mutual covenants and promises herein contained, the Licensor and Licensee agree as follows:

1. **License.** Licensor grants Licensee a non-exclusive and non-transferable license to incorporate the Work in the Product for the sole purpose of selling the Product at Licensee's stationery shops in Japan. Licensee may not sell, distribute, create derivative works on the basis of, or transfer the Work for any purpose other than as permitted in this Agreement. Licensee acknowledges that no intellectual property rights, including copyrights, in the Work are transferred from Licensor to Licensee under this Agreement.

2. **Term.** The term of the Agreement shall continue for three (3) years. The Agreement may be renewed for one (1) or more additional one (1) year term (s) if the parties so agree in writing.

3. **Termination.**

a. This Agreement may be terminated by the written notice of both parties. In the event that either party shall be in default of its material obligations under this Agreement and shall fail to remedy such default within sixty (60) days after receipt of written notice thereof, this Agreement shall terminate upon expiration of the sixty (60) day period.

b.   Upon the expiration or termination of this Agreement, Licensee will return to Licensor the original work and any related material accompanied thereto.

c.   Upon termination or expiration of this Agreement, Licensee shall immediately cease reproducing, advertising, marketing, and distributing the Product.

4.   **No Assignment by Licensee.**   Licensee may not assign, sublicense, or transfer this Agreement without Licensor's prior written consent.

5.   **Payment.**

a.   Licensee will pay Licensor a license fee of two thousand Dollars ($2,000) within thirty (30) days after the Effective date. Licensee will be responsible for all sales, use, value added, personal property, and/or other governmental tax or levy imposed pursuant to this Agreement.

b.   Licensee shall pay to Licensor a royalty calculated as follows:
  i)   Two Dollars ($2) per unit on the first three thousand (3,000) units of the Work sold by Licensee.
  ii) Three Dollars ($3) per unit on all sales of the Work over three thousand (3,000) units of the Work sold by Licensee.

c.   Licensee shall render to Licensor on a quarterly basis, within thirty (30) days after the end of each calendar quarter during which the Product is sold, a written statement of the royalties due to Licensor. Such statement shall be accompanied by a remittance of the amount due.

d.   Licensor shall have the right, upon reasonable request, to review those records of Licensee necessary to verify the royalties paid. Such audit will be conducted at Licensor's expense during normal business hours of Licensee.

6.   **Review and Inspection.**   Licensee will send to Licensor one (1) representative copy of the Product manufactured by Licensee under this Agreement. The representative copy must be approved in writing by Licensor before production may commence.

7.   **Copyright Notice.**   Licensee agrees that every copy of Product will bear the following notice: © ABC Limited. All rights reserved.

8. **Limitation of Liability.** LICENSOR'S LIABILITY FOR DAMAGES WITH RESPECT TO THIS AGREEMENT AND LICENSE PROVIDED HEREIN WILL NOT EXCEED THE FEES PAID BY LICENSEE HEREUNDER. NOTWITHSTANDING THE FOREGOING, IN NO EVENT WILL LICENSOR BE LIABLE FOR ANY LOSS OF OR DAMAGE TO REVENUES, PROFITS, OR GOODWILL OR OTHER SPECIAL, INCIDENTAL, INDIRECT, OR CONSEQUENTIAL DAMAGE OF ANY KIND RESULTING FROM THE LICENSE GRANTED HEREUNDER.

9. **Indemnification.** Licensee shall indemnify and hold harmless Licensor, its successors, assigns and licensees, and the respective officers, directors, agents, and employees, from and against any and all claims, damages, liabilities, costs and expenses (including reasonable attorneys' fees), arising out of or in any way connected with any claim that the Product infringes any intellectual property rights or other rights of any third party.

10. **Entire Agreement.** This Agreement constitutes the entire and only the Agreement between the parties and all other prior negotiations, the Agreements, representations and understandings are superseded hereby. This Agreement may be amended only by writing, signed by both parties.

11. **Governing Law.** This Agreement shall be construed and enforced in accordance with the laws of the United States of America and of the State of California.

IN WITNESS WHEREOF, the parties hereto have caused their duly authorized representatives to execute this Agreement.

ABC LIMITED   **XYZ CO. LTD.**

By : _____   By : _____

Printed Name :   Printed Name :
Title :   Title :
Address :   Address :
Date : _____   Date : _____

4.3 国際ライセンス契約②

☞モデル契約書3-3

　次の例では，著者が出版社に論文を寄稿したとき，出版社が著者にあらかじめサインをしてもらう場合を想定する。この契約書はContributor Agreement（寄稿者の契約）となっているが，その実態は著作権のライセンス（ないし譲渡）である。

　この契約は，実はあまり難しい契約書という形ではなく，必要最小限度の内容を取り交わす趣旨で作られている。形式も出版社（ライセンシー）から著者（ライセンサー）に送られるレター形式となっている。リアルビジネスの世界ではこのような形もしばしば見受けられ，取決め事項が多くない場合には便利である。

- 前文

　便宜的に①～③を付した内容である。ここでは寄稿者に向けたレターとし，まず寄稿の対象となる雑誌等のいずれの章への寄稿であるかが明記されている（①）。次に，出版社PQRから著者に対して，②のブランクに寄稿する論文のフルタイトルと，③のブランクに著者名（この例では二人で，Mr. KKKとDr. LLL）を記入するよう指示されている。

- 著者の保証（第1条）

　続いて，両者の同意事項がある。著者は，寄稿する論文の新規性や内容の穏当，他人の著作権との関係で問題にならないことを保証している。

- 著作権の譲渡（第2条）

　本例は，実はライセンスよりも強い譲渡契約である。ただし，このあとの第3条で著者の公表権が条件付きながら残っているため，わが国の法律の感覚からすれば，譲渡とライセンスの間というところである。

- 公表権（第3条）

　この出版社PQRに最初に掲載されたことをきちんと示す（クレジットする）限り，著者は将来にわたってこの論文を公表・配布することが認められている。いわゆる学者にとって，自らの研究成果を自由に公表することは研究活動の一つの生命線である。したがって，出版社としても，最初に公表してもらうことを第一義とし，後の公表を認めることも多い。著者の側とし

ては,この公表権の有無及び内容を確認すべきである。
- **その他の条項**

　本例では対価の支払いがない。著者とすると,論文を掲載してもらうことが重要であり,それに対しては対価が発生しないという例で,一般に広く用いられている。多数の研究者が著者となって出版が実現するような場合には,一人で本を書き上げる場合とは様相を異にする。一人で書き上げる場合は,もちろん,もう少し一般的なライセンス契約の形に近づくことになる。

CONTRIBUTOR AGREEMENT

Dear Contributor,

We are pleased that you will be contributing a chapter to:

① **QUANTUM PHYSICS AND ITS APPLICABILITY**
Edited by SSS, TTT and UUU

Please complete the blanks (title and authors of contribution), read the agreement, sign it and send back to us when you submit your contribution.

② **Title of Contribution :**
Beyond Theory and Toward Human Future Civilization

③ **Authors (Full list of names) :**
Mr. KKK
Dr. LLL

We agree on the following items:

1. **You warrant that:**
   i) your contribution is original and has not been submitted for publication or been published elsewhere,
   ii) the contribution does not contain material of a slanderous nature, and
   iii) that, if your contribution should contain copyright material owned by others, explicit permission has been obtained from the copyright owner.

2. You hereby assign all rights, including the copyright in your contribution to PQR Ltd.

3. You shall retain a perpetual, non-exclusive license to publish and distribute the above contribution provided that proper credit is given to the PQR Ltd article.

Signature : _____   Date _____
Signed on behalf of all co-authors

第4章
ソフトウェアライセンス契約

〈4−1 ソフトウェアサブスクリプション契約〉
吉川 達夫● *Tatsuo Yoshikawa*

〈4−2 B2B国内ソフトウェアライセンス契約　4−3 B2B国際ソフトウェアライセンス契約〉
森下 賢樹● *Sakaki Morishita*

4−1　ソフトウェアサブスクリプション契約

1　ビジネスモデル

　ソフトウェアライセンス契約は，ソフトウェアの権利者（Licensor, ライセンサー）が使用者（Licensee, ライセンシー）にソフトウェアの使用を許諾する契約である。従来，ソフトウェアは，パッケージソフトとして量販店などで販売されたり，インターネットからダウンロード販売されたり，特定のコンピュータにインストールするための取引が行われてきた（対価が請求されないフリーソフトウェアもある）。購入者は，ソフトウェアの（所有権）売買であると考えるかもしれないが，ソフトウェアのライセンスは複製等許諾契約であり，購入者はソフトウェアを自己のコンピュータに複製して使用することが認められてきた。
　一方，ソフトウェアサブスクリプション契約は，SaaS (Software as a Service) と呼ばれるサービス契約であり，ソフトウェアが使用者にとって必要なときに必要な機能だけをインターネット経由でサービスとして提供されるものである。つまり，ユーザ側のハードウェアにはソフトウェアがインストールされない。この形態の取引は，現在ビジネスにおいて急速にその利用が拡大している。ユーザとしては，必要なサービスのみを期間内に利用することのメリットがあり，資産化しないため導入コストがかからない。一方，サービスが中断されることなく使用でき，クラウドにアップロードしたソフトウェアのデータが消失されないことが大前提である。

2 リスク分析

2.1 サービス契約の有効性

　顧客がソフトウェアパッケージを購入し，パッケージを開封して初めてサービス契約を確認する場合，当該サービス契約条件が顧客を拘束できるのかその有効性が問われる。顧客がパッケージ包装（ラップ）のフィルムや箱についたシールを開封したときに使用許諾条件に同意されたとみなす契約形態をシュリンク・ラップ契約（Shrinkwrap Agreement）という。シュリンク・ラップ契約では，パッケージ包装の開封のみをもって，見てもいない契約承諾であるとされるので，サービス契約条件に同意しない顧客は，販売店に返品して代金を返還できるものと解される（詳しくは，経済産業省公表の「電子商取引及び情報財取引等に関する準則」を参考にされたい）。開封されていない場合，当然サービス契約が成立していないことになる。解除権を否定する合意がない限り，顧客は黙示の解除権を有すると解される。クリック・ラップ契約（Clickwrap Agreement）は，パソコン画面上に契約条件が示され，「I Agree（同意します）」をクリックする意思表示が契約承諾とされる契約であり，インターネット上のオンライン契約と，パソコン画面上のオフライン形態とがある。

　サブスクリプション契約は，当事者間でサービス利用に関する契約書が作成されるが，個別契約は作成せず，アクセスして使用継続することでサービス契約に同意しているとする約款による契約もある。こういった契約をレビューする際は，サービス対象ソフトウェアの範囲（アップデート版が含まれるか），期間（永続サービスとは異なり終了がある），終了後にクラウド保管したデータの使用権（通常は使用不可能であるが，無償ソフト対応で少ないストレージまで使用できる場合もあり），使用料（更新料を含む）と支払時期，データセキュリティの確保，サービスレベル（サービスが使えない時間の割合はどの程度か）などの規定の確認が必要である。なお，書類（Documentation）が契約書以外にWebで示され（契約書の一部を構成する），ここで詳細な仕様やサービス数カウント方法やその例外規定などが定められ，適宜ライセンサーの裁量によりアップデートされることが多い。

2.2 譲渡性

ソフトウェアの譲渡を認める場合，ライセンサーはメディアを譲渡することでサービスが譲渡できると規定されることが多い。一方，暗号やシリアルナンバーのみから起動するようにソフトウェアを作り，譲渡できないようにしたものもあった。一方，サブスクリプションサービス契約ではソフトウェアの譲渡規定はない。ただし，ソフトウェアのサービス契約の譲渡が認められるかどうかを考慮しなければならない。

2.3 違法コピー対策，ソフトウェアサービスマネジメント

現在の技術では，パソコンで簡単にソフトウェアの複製を作成することができるため，違法コピー品がネットなどで販売されたり，ファイル交換されることもある。この対策のためにコピーコントロールCD（CCCD）や暗号技術を埋め込んだソフトが開発されたことがある。ソフトウェア購入者の社内等において違法コピーがなされないように，購入者側に必要数の購入，ライセンス数の監視，サービスの付与などを実施するマネジメントが必要であることが認識され，社内にそのようなプログラムが構築されることが必要である。サブスクリプションサービス契約では，ユーザ側がランセンス数を超えて使用しないようにマネジメントが必要である。また，域外あるいは子会社での使用が認められるかといった点が導入時に検討されるべきである。

2.4 契約終了時

サービス契約解除に伴う現状回復義務として，ユーザは情報財の使用を停止しなければならない。これを担保するために，情報財の消去を求めることができるとするのが合理的である。なお，著作権法47条の3第2項ではプログラムの複製物の所有者が当該複製物についての所有権を有しなくなった後には，そのものは「その他の複製物を保存してはならない」と規定している。サブスクリプションサービス契約では，契約終了時にそもそもソフトウェアを使用できなくなる。一方，当該ソフトウェアを使用してクラウドに保存したデータを利用できるか（例えば名刺管理ソフトの終了時には一括読み取りデータ

で取得できるなど），データの利用と処分がどのようになされるかといった点に注意が必要である。

3　関連する法律・許認可など

3.1　著作権法

　ソフトウェアプログラムは，著作権法に基づいて認められている私的複製による複製権の例外にも制限を加えたライセンス条件となっている場合が多い。なお，著作権侵害に関わる損害賠償算定基準であるが，著作権法114条1項に基づくと，権利者は「侵害者の得た利益」を立証することによって，権利者の損害を推定してもらい，これを損害賠償として侵害者に請求することになるが，「得た利益」とは売上高ではなく純利益と考えられている。一方で，同法114条3項に基づくと，権利者は使用料相当額（小売価格）の賠償を受ける事が可能になる。損害賠償は過去の侵害に対する賠償であるから，侵害者は正規品を購入することが求められる。

3.2　消費者契約法

　消費者が事業者と締結した契約（消費者契約）を対象とし，消費者は，事業者の不適切な行為，①不実告知，断定的判断，故意の不告知，②　不退去，監禁により自由な意思決定が妨げられた事（誤認，困惑）によって結んだ契約を取り消す事ができる。消費者が事業者と結んだ契約において，消費者の利益を不当に害する一定の条項が無効となる。

3.3　電子消費者契約及び電子承諾通知に関する民法の特例に関する法律

　電子消費者契約に関しては，事業者が操作ミスを防止するための措置を講じていない場合，たとえ消費者に重過失があったとしても，操作ミスにより行った意図しない契約を取り消すことができる（民法95条の特例措置）。なお，米国では，この事業者・消費者間取引である，いわゆるB2C取引におい

て, 事業者が確認手段を提供していない場合, 消費者が契約の無効を主張することが可能とされている (UETA ／統一電子取引法, Uniform Electronic Transaction Act)。

3.4 独占禁止法 (「私的独占の禁止及び公正取引の確保に関する法律」)

公正取引委員会が公表している「知的財産の利用に関する独占禁止法上の指針」を確認してソフトウェアのサービス契約上問題にならないか検討すべきである。

- 非係争義務
- 改良技術の譲渡義務
- 改良技術の非独占ライセンス義務

3.5 UCITA (旧UCC２B)

米国 Uniform Computer Information Transactions Act (UCITA)。当初はUCC (米国統一商事法典) 第２章Bとして規定される予定であったが, 取引の対象が「コンピュータで読み取れる情報 (プログラムを含む)」という特殊性から, 独立して規定された。たとえば, プログラムの欠陥に対して, ソフトウェア開発者や配布者に法的責任があるとする反面, シュリンク・ラップ契約の成立を認め, 結果的に法的責任が回避されることになる規定もあり, ソフトウェア業界とフリーソフト推進団体でもめた。州法として法制化した州はバージニアとメリーランド州のみである。

3.6 GNU GPL

GNU General Public License (一般公衆利用許諾書、GNU GPLもしくは単にGPLともいわれる) は, フリーソフトウェア財団が管理するフリーソフトウェアサービスである。その代表的なものは, GNU Free Documentation Licenseであり, 特徴として, (1)プログラムの実行, (2)プログラムの改変, (3)複製物再頒布, (4)プログラムを改良して公開, (5)二次的著作物 (派生物) についてもGPLでサービスされることがあげられる。

3.7 General Data Protection Directive (GDPR)

　EU一般データ保護規則は，EU域内のデータ保護，域外との情報のやり取りルールが策定されている。サブスクリプションサービス契約においては，データがライセンサーのシステム（サーバ）に保存される。どこの国にデータが保存され，どのような条件（GDPRに基づく保護ルールを遵守するかを含み）でデータのやり取りをするか，機微情報がデータに含まれるかなどを確認する。

4　契約書チェックポイント

4.1　SOFTWARE SUBSCRIPTION AGREEMENT

☞モデル契約書4-1-1

　モデル契約は，サブスクリプション期間においてライセンシーがソフトウェアを使用できるソフトウェアのサブスクリプション契約である。なお，ここではライセンスという用語ではなく，サービスがなされるというサービス契約になっていることに留意すべきである。

- 総則（第1条）

　ライセンサーがソフトウェア自体の所有権を保持し，購入者はサブスクリプション期間においてソフトウェアを利用できる。サブスクリプション期間は1年間であるが，いずれかの当事者が終了30日前までに書面による通知を行わない限り1年ずつ自動更新される。

- サブスクリプションサービス（第2条）

　電子機器1台につき1ライセンスのサブスクリプションサービスが認められているが，これを顧客1名E-mailにつき1サービスとすることを認めている契約もある。2条A項において規定する，「サブスクリプションサービスに保管される顧客データを合理的にセーフガードする。」というデータ保護に関する規定となる。

- **譲渡条件**(第3条)

  ソフトウェアの譲渡は認められないが,契約上の権利を譲渡することは認められる。

- **限定保証**(第4条)

  サブスクリプションサービスにおいては,ライセンサーが適宜作成する書類に概ね(materially)合致すること,保証は返金に限られることを示している。

- **輸出規制法に関する責任**(第7条)

  ソフトウェアが高度な技術として輸出禁止対象商品であるかを確認しておく必要がある。米国政府による輸出管理規則におけるDenied Person Listおよび輸出禁止国の確認が必要である。ここでは,利用者が購入国のみならず,購入国以外でサービスを利用することを想定している。

SOFTWARE SUBSCRIPTION AGREEMENT

PLEASE READ THIS SOFTWARE SUBSCRIPTION AGREEMENT ("AGREEMENT") CAREFULLY BEFORE USING THIS SERVICE. BY USING THIS SERVICE, YOU ARE AGREEING TO BE BOUND BY THE TERMS OF THIS AGREEMENT.

1. **General.**

   The XYZ software (the "Software") is made available as service (the "Service"), not sold, to you by XYZ, Inc. ("XYZ") for use only as per the terms of this Agreement during the term, which is one (1) year term from the effective date specified in the sales order document signed by XYZ unless otherwise specified ("Subscription Term"). Upon the expiration of Subscription Term, this Agreement is automatically renewed additional one (1) year each except either party makes the written notice to the other party of its intention not to renew the Agreement, thirty (30) days prior to the expiration of any Subscription Term. Fee for additional Subscription Term shall be paid by you to XYZ before the commencement day for the new Subscription Term. The rights granted herein are limited to use the Service, including but not limited to, XYZ's intellectual property rights in the Software and do not include any other intellectual property rights. XYZ may provide documentation regarding the features and functionality of the Service on its web site which XYZ may update from time to time ("Documentation").

2. **Subscription Service.**

A. XYZ will host and make the Service available to your one (1) CPU defined in your sales order for processing your data ("Client Data"), which means any electronic data provided by you through the Service. XYZ may update the content, functionality and user interface of the Service from time to time in its direction. This Service does not allow you to connect from other electrical equipment at a time, and you may not make the Software or Service available over a network where it could be used by multiple computers at the same time.

B. XYS will maintain reasonable safeguards for protecting Client Data during Subscription Term. You may backup Client Data in the way described in the

Documentation.

C. Use of the Service is subject to the usage limits identified in the document signed by XYZ.

D. You may not copy, decompile, reverse engineer, disassemble, modify, or create derivative works of the Software or any part thereof.

3. **Transfer.**

You may not rent, lease, lend, redistribute or sublicense the Software and/ or the Service. You may not make transfer of all of your rights under this Agreement to any other party.

4. **Limited Warranty.**

XYZ warrants the Service will perform materially during Subscription Term in accordance with the Documentation. Your exclusive remedy under this Section shall be, at XYZ's option, a refund of the fees paid by you under this Agreement.

XYZ HEREBY DISCLAIM ALL WARRANTIES AND CONDITIONS WITH RESPECT TO THE SOFTWARE AND/ OR SERVICE, EITHER EXPRESS, IMPLIED OR STATUTORY, INCLUDING, BUT NOT LIMITED TO, THE IMPLIED WARRANTIES AND/OR CONDITIONS OF MERCHANTABILITY OF FITNESS FOR A PARTICULAR PURPOSE AND NON-INFRINGEMENT OF THIRD PARTY RIGHTS. XYZ, its officers, affiliates and subsidiaries shall not, directly or indirectly, be liable, in any way, to you or any other person for the content you receive using the Service or for any inaccuracies, errors in or omissions from the content.

5. **Limitation of Liability.**

IN NO EVENT SHALL XYZ BE LIABLE FOR PERSONAL INJURY, OR ANY INCIDENTAL, SPECIAL, INDIRECT OR CONSEQUENTIAL DAMAGES WHATSOEVER.

6. **Termination.**

This Service is terminated upon the expiration of Subscription Term. Your rights under this Agreement will terminate automatically without notice from XYZ if you fail to comply with any term(s) of this Agreement. Upon the termination of this Agreement, you shall not allow to use the Service and/ or Software.

7. **Export Law Assurances.**

You shall comply with the export laws and regulations of the United States and other applicable laws in other jurisdictions for using the Software.

8. **Governing Law.**

This Agreement will be governed by and construed in accordance with the laws of [name of country]. This Agreement shall not be governed by the United Nations Convention on Contracts for the International Sale of Goods.

9. **Severability.**

If for any reason a court of competent jurisdiction finds any provision, or portion thereof, to be unenforceable, the remainder of this Agreement shall continue in full force and effect.

10. **Entire Agreement.**

This Agreement constitutes the entire agreement between the parties with respect to the use of the Service hereunder and supersedes all prior or contemporaneous understandings regarding such subject matter.

11. **Amendment.**

No amendment to or modification of this Agreement will be binding unless in writing and signed by XYZ.

12. **Language.**

Any translation of this Agreement is made for local requirements and in the event of a dispute between the English and any non-English versions, the English version of this Agreement shall govern.

4-2 B2B国内ソフトウェアライセンス契約

☞ モデル契約書4-2-1

　モデル契約では，株式会社○○○（甲）が，甲の有するソフトウェアの使用許諾を株式会社△△△（乙）に与えるものであり，日本国内の使用権を対象としている。なお，これは一例に過ぎず，実際には，契約自由の原則の下，自由に条項を設けていけばよい。ひな形があると，それを手直しすることに気をとられ，実はそのケース固有の事情で本来規定すべき条項が落ちがちである。ひな形から外れても，（法律上問題がない限り）甲乙で合意できればよく，この段階であらゆる疑問を払底しておく必要がある。

- 前文

　表題のあとの2行が前文である。この例では，頭書き（Premises）のみがあり，説明条項（英文契約書ではリサイタルとかWhereas Clauseとも呼ばれるもの）はつけていない。両当事者にとって，契約に至った経緯などをあえて説明する必要がない場合，説明条項は省略される。

- 定義（第1条）

　許諾の対象である「XYZソフト」の範囲を定義している。単にソフトウェア本体のみを与えられても，乙は製品開発はできない。既述のとおり，「権利の客体」を必要十分に画定するためにも，開発現場サイドに十分な確認が必要である。

- 目的（第2条）

　乙の製品が複数に及ぶ場合，それらを別紙目録等で列挙してもよい。争いを避けたい箇所である。また，著作権は特許権のように国内のみに権利が生じるものではないため，許諾地域も明確にすべきである。当然だが，5W1Hの発想が必要である。

　「譲渡不能」と規定したが，その意味を以下のように明示的に規定してもよい。

> 乙は，以下の行為をしてはならない。
> (1) XYZソフトの使用権の譲渡又は再使用の許諾
> (2) XYZソフトの複製，又は占有の移転
> (3) 甲の指定した機械以外の機械におけるXYZソフトの使用及び機械の設置場所の移転
> (4) XYZソフトの変更

特に(4)については注意を要する。XYZソフトにバグがある場合，それを乙が解析する方が甲乙ともに便利なこともある。その場合，「甲の許可に基づくデバッグ及びその結果に応じてXYZソフトを改変する場合を除く」などとする方法が考えられる。

- 検収（第3条）

「不具合」は，バグで動作に問題がある場合のほか，仕様書どおりに動かない場合を含む。しかし，一般には，契約に至るまでに乙はそれなりにXYZソフトを評価しているはずであり，甲とすれば，検収であまりいろいろと注文をつけられたくない。甲乙の力関係で検収期間や甲の対応にも差が出る。乙とすれば，検収期間の後に不具合があった場合，有償でもよいから甲に対応させる規定も要求すべきである。

- 実施料（第4条）

契約で最も大事な条項の一つである。実施料の設定には，一括払いのみ，ランニングの実施料のみ，一時金とランニングロイヤルティの実施料の組合せなど，いろいろなスキームがある。ランニングロイヤルティの実施料にも，「製品売上の○％」「製品生産台数×○円」「製品販売台数×○円」「製品販売利益の○％」などのバリュエーションがある。乙がスタートアップ企業の場合，利益が出るまでが大変であるため，売上よりも利益に対する課金の方が楽な場合もある。もちろん，甲はその分収入が遅れるが，乙の育成を図る場合，そのような設定もありうる。力関係の中だけでなく，長期的展望という視点もある。

一般論でいえば，甲にしてみれば，十分なランニングロイヤルティの実施料率の確保はもちろん，最低実施料を設定したい。仮に乙の業績不振があっても，決まった収入が確保できるためである。これがないと，甲は別の

ライセンシーを探したくなる。最低実施料は, 乙には楽な条件ではないが, 少なくとも, 業績不振でライセンスを打ち切られるおそれが減る。乙にも長期的展望が必要である。

　甲は, 乙による実施料の支払いが遅れた場合, 延滞金を規定しておくこともできる。また, 一度支払われた実施料は払い戻さない規定を入れることもある。

　許諾の条件で注意すべきは独占禁止法である。複数のライセンシーのいずれかに対して不当に不利な条件を設定すると, 不公正な取引とみなされることがある。ライセンス交渉の経緯によっては, あるライセンシーに対してあまりよくない感情を抱くことがないとは限らないため, 注意を要する。後に苦情を言われないためにも, ライセンス条件を同一にしておけばよいが, 業態や製品はライセンシーごとに異なるので, 簡単ではない。むしろ, ライセンシーごとに条件を細かくカスタマイズして個々に妥当性を持たせておくことが望ましい。

　なお, 第3項では出荷実績の報告のフォーマットを定めていないが, もちろんこれを規定してもよい。さらには, 報告の真偽確認のための立入り調査を規定する場合もある。たとえば以下のような例である。

　甲は, 乙の事業所に甲の職員又は甲が指定する代理人を派遣して, 合理的な業務時間内に, 実施に関する帳簿書類その他の物件を調査できる。この際, 乙は正当な理由なく, 報告や調査を拒めないものとする。

- **保証**（第5条）

　前出の検収にも同様のことがいえるが, 甲とすると, 仕様書との完全一致を保証するのは大変である。ソフトウェアの常として, バグはなかなかゼロにはならないため, 厳密な保証はしたくない。むしろ, 現状のままで認めて欲しいので,「実質的に仕様書どおり」という緩めの表現にすることもある。

- **リバースエンジニアリングの禁止**（第6条）

　前出の独禁法上の指針との関係でいうと, 甲がきちんとインターフェース情報等を乙に提供していることが前提となる。乙が自己の製品を作れる限り, XYZソフトをリバースエンジニアリングする必要はないため, 甲は自

己のソフトウェアを守る趣旨でこの規定を入れている。

- 秘密保持（第8条）

秘密保持契約（NDA: Non-Disclosure Agreement）は，本契約より前の段階，すなわち乙によるソフトの評価の段階で結ばれていることが多い。その場合，本条は不要である。ただし，本条では，第1項で「本契約の内容」も秘密しており，それは先行するNDAではカバーできない可能性もある。この点を明確にするために，本条は甲にとって意味がある。

- 契約期間（第9条）

実施料，解約条件と並び重要な条項である。乙は事業が軌道に乗っているときに契約が切れるようでは死活問題であるが，事業がうまくいかない場合，最低実施料を払い続けるのも問題である。一方，甲も，乙より生産，販売能力に勝るライセンシー候補が現れたとき，そのライセンスの価値を高める（すなわち，より有利なライセンス条件を設定する）ためには，既存のライセンシーは少ない（いない）方がよい。極めて有力な候補なら，独占的な権利を与え，さらに高い実施料率を設定することも考えられる。甲にとっても先のことは分からないため，やはりある程度の期間で一旦契約が切れる内容としておきたい。

こうした甲乙の思惑から期間が定まるが，一般には3年や5年という数字がよく見られる。もちろん，甲乙の関係により，より長くすることに問題はない。

- 解約（第11条）

第1項の「違反」について，乙による違反の例は，許諾の範囲を超える実施，秘密保持義務違反，実施料の遅延ないし不払い，出荷実績の報告書の不提出等がある。一方で甲による違反の例は，侵害排除義務違反，秘密保持義務違反などがある。

なお，「解約」は契約の効力を将来に向かって消滅させることで，契約を最初からなかったものとするには，「解除」という言葉を使う。たとえば，以下のような条項で使う（ただし，実務ではあまり区別されない）。

> 甲又は乙は,本契約の締結が虚偽の表示その他事実に反する報告に基づいてなされたことを知ったときは,書面による通知をもって,本契約を即座に解除することができる。

- 合意管轄（第12条）

  裁判管轄のほかに,国際的な契約の場合,準拠法を書く。骨子は「日本国の法律に準拠するものとする」という形である。

- 協議（第13条）

  定型として常に入っているが,この条項があることで,本当ならきちんと決めるべき点が曖昧なまま締結されてはならない。契約は紛争時にこそ意味がある。とりわけ,技術者や学者は友好的規定で済ませがちのため,法務担当者としては要注意である。

- その他の規定

  本例にはなかったが,以下のような条文をケースバイケースで導入していくことができる。

  a. ライセンスの移転

  乙がXYZソフトに関する事業の一部又は全部の譲渡をした場合,その譲渡先にライセンスがそのまま認められるかどうかを決めるものである。乙とすれば,自社を売る場合,ライセンスが売先にそのまま認められれば,このライセンスの価値が高まる。一方,甲とすると,乙とは異なる主体が実施をするのであれば,最低実施料等の条件を見直す機会を持ちたいと考えることもある。したがって,甲の承認があればライセンスを移転できる,とする方法がある。

  b. 非侵害の保証

  「甲は,XYZソフトが第三者の知的財産権を侵害しないことを保証する。」というような規定。乙にはありがたい規定である。

  c. 侵害排除

  第三者がXYZソフトの著作権を侵害している場合,甲がその侵害行為を排除する義務を負うという規定。b.は自分たちが侵害してしまう側の立場であるが,c.は侵害される側の立場である。なお,c.の義務を甲に

負わせる場合,乙がそうした第三者の侵害を発見したら甲に報告する義務や,侵害排除に協力する義務を負わせることが多い。侵害排除のための費用は,訴権のある甲の負担とすることもあるが,もちろん,甲乙折半などとしてもよい。

d. 著作権表示

XYZソフトの宣伝になり,またその著作権の所在を明示するという意味で,甲は以下のような規定を入れることもできる。

> 乙は,XYZソフトを含む乙製品の販売,広告にあたり,甲の指示に従い,XYZソフトについて著作権表示を行わなければならない。

e. 契約の一部無効

本契約のいずれかの条項又はその一部が法令により無効となっても,無効になった部分に限って本契約から削除されたものとみなし,それ以外の部分は以降も有効であるとする規定。一部無効の際,残余の効果を確認する規定である。特に,国際契約など,国ごとに法令が異なる場合に安全を考えて入れることが多い。

f. 完全合意条項

契約に至るまでにいろいろな交渉をしてきたとしても,最終的にはこの契約書の内容のみが有効であることを確認する規定。Entire agreement条項と呼ばれる。

g. 不可抗力

甚大な天災などの不可抗力により,乙の実施行為が不可能になった場合,再度可能になるまで実施料の支払いを停止できたり,契約を解約できるといった内容が多い。何をもって「甚大な天災」とするかだが,一例として,政府が「特定災害」として指定した場合と規定することができる。特定災害がその例である。

ソフトウェア使用許諾契約書

　株式会社○○○○（以下「甲」という）と株式会社△△△△（以下「乙」という）とは，甲が著作権を有するソフトウェアの使用許諾について以下のとおり契約した。

第1条（定義）
　(1)　「XYZソフト」とは，別紙記載のソフトウェア，ライブラリ，仕様書，操作マニュアル，及び関連資料をいう。
　(2)　「顧客」とは，日本国内においてXYZソフトを自己のもとで使用する最終使用者をいう。

第2条（目的）
　　甲は，XYZソフトに関し，譲渡不能かつ非独占的な使用権を日本国内に限り乙に許諾する。乙は乙製品にXYZソフトを組み込んで顧客へ販売することができる。

第3条（検収）
１　甲は乙に対し，XYZソフトを乙の指定する期日及び場所に納入し，乙は受領後3週間以内に検収を完了する。
２　前項の期間満了までに，乙より甲に対して，XYZソフトの不具合を申し出，甲がこれを承認した場合を除き，同期間の経過によって，XYZソフトは乙による検収に合格したものとみなす。

第4条（実施料）
１　乙は，XYZソフトの使用許諾に対する一時金として金500万円を支払う。乙は甲に対し，XYZソフトの実施料として，乙製品の出荷1本あたり金1,000円を支払う。
２　乙製品の四半期毎の出荷数が2,000本に満たない場合であっても，乙はその四半期に関する最低実施料として甲に金200万円を支払う。
３　乙は乙製品の四半期毎の出荷実績を各四半期の終了から30日以内に甲に報告するとともに，その四半期に関する実施料を支払う。
４　乙は，第1項の一時金のうち金300万円を本契約締結時に，残金を検収終了時に甲の指定する銀行口座に振り込んで支払う。これにかかる振込手数料は乙が負担するものとする。

第5条（保証）
１　甲は乙に対し，XYZソフトが仕様書どおりの機能を発揮することを保証する。

2　甲は乙に対し，プログラム等が乙の責によらずして前項どおり作動しないときは，本契約後3ヵ月間に限り無償サービスを行うものとする。
3　甲は乙に対し，前項以外に契約不適合責任を負わないものとする。

第6条（リバースエンジニアリングの禁止）
　乙は，XYZソフトの逆アセンブルをはじめ，リバースエンジニアリング行為を行ってはならないものとする。

第7条（サポート）
　乙の顧客に対するXYZソフトに関するサポートは，乙が行うものとする。

第8条（秘密保持）
1　甲及び乙は，事前に相手方の書面による同意を得た場合を除き，相手方から開示された情報，知り得た相手方の技術上及び営業上の秘密，相手方から秘密である旨の指定を受けた情報並びに本契約の内容（以下併せて「秘密情報」という）を第三者に漏えいしてはならない。ただし，次の各号に該当するものはこの限りではない。
(1)　相手方から知得する以前に既に保有していたもの
(2)　相手方から知得する以前に公知であったか，又は相手方から知得した後に自らの責によらずに公知となったもの
(3)　正当な権限を有する第三者から秘密保持の義務を負わず知得したもの
(4)　法令の定めに基づき，又は権限のある官公庁から要求されたもの
(5)　秘密情報によることなく，独自で開発したものであることを証明できるもの
2　甲及び乙は，善良なる管理者の注意義務をもって秘密情報の管理を行うものとする。

第9条（契約期間）
　本契約の期間は，甲乙双方が本契約書に署名あるいは記名捺印した日から3年間とする。ただし，甲乙のいずれかが相手方に対して書面をもって期間満了3ヵ月前までに契約を更新しない旨の通知をしない場合，さらに1年間自動的に更新されたものとし，以後同様とする。

第10条（マニュアル等）
　XYZソフトの所有権は，納入後においても甲にあることを乙は甲に対し確認し，事由のいかんを問わず，本契約終了時に乙はXYZソフトを甲に返還するものとする。

第11条（解約）
1　甲及び乙は，相手方が本契約に違反した場合，1ヵ月前の催告をなし同期間中に違反が治癒されないときは，書面による通知をもって，直ちに本契約を解約できるものとする。
2　甲及び乙は，相手方において，手形又は小切手の不渡，破産，民事再生，会社整理もしくは会社更生の申請又は申立てがあった場合，直ちに本契約を解約できるものとする。

第12条（合意管轄）
　本契約に関する紛争の第一審管轄裁判所は，東京地方裁判所とする。

第13条（協議）
　本契約に定めない事項，もしくは，本契約の条項の解釈に疑義が生じた事項については，甲乙協議の上，円満解決をはかるものとする。

　上記契約の証として本契約書を2通作成し，当事者双方署名あるいは記名捺印の上，各自1通を保有するものとする。

　　　　　　年　　月　　日
　　　　　　　　（甲）
　　　　　　　　　　　住所
　　　　　　　　　　　会社名
　　　　　　　　　　　氏名　　　　　　　　　　　　㊞

　　　　　　　　（乙）
　　　　　　　　　　　住所
　　　　　　　　　　　会社名
　　　　　　　　　　　氏名　　　　　　　　　　　　㊞

4−3　B2B国際ソフトウェアライセンス契約

☞ モデル契約書4-3-1

　モデル契約は，ABCがソフトウェアの使用許諾をXYZに与えるものである。国際的な契約が英文でなされているとはいえ，本質は著作権ライセンスであり，既述のごとく，権利が移転しないことの根本理解と，権利主体・客体の明確化が大事である。

- 前文

　表題につづく5行が前文である。頭書き（Premises）のみがあり，リサイタル（Whereas Clause），すなわち説明条項がない（リサイタルがある例は，他章を適宜参照されたい）。

- 定義（第1条）

　著作権のライセンスの場合，「世界中」（worldwide license）を対象地域にすることもあるため，逆に言うと，地域の定義は必須である。ここでは，中国を許諾地域（Territory）とするが，疑義が生じないよう，香港，マカオ，台湾を除外している。日本にいると，このあたりの感覚がないので要注意である。

　許諾対象のソフトウェアはコンピュータプログラム「PIX」であり，具体的に二つのモジュールが挙げられている。XYZは，PIXを組み込んで自社の製品（Product）を作製し，これを販売することになる。

- ライセンスの許諾（第2条）

　XYZが得るライセンスは，ソフトウェアの排他的ではない使用権（2.1）と，XYZの製品のエンドユーザへの頒布権（2.2）である。それ以外の権利はない（2.3）。

- ライセンスの費用（第3条）

　初期費用（3.1）とランニングロイヤルティ（3.2）の組合せである。また，報告書の提出義務が規定されている（3.3）。3.3の中で，「thirtieth（30th）day」とあるように，数字はアルファベットの単語の後にカッコ書きされることが多い。「shall」は義務を表し，「due」は支払い期限が来た，の意味である。3.3の後半ではABCによる立入調査を規定している。

3.4は支払い条件一般に関するものであり,「terms」は条件である。似た言葉に「term」(期間)と「termination」(契約の解除ないし解約)があるので,注意する必要がある。ここでは米国通貨による支払いが規定されている。一般にライセンサーは自国通貨による支払いを好むこともあるが,通貨の安定度という観点もある。

3.5は,支払いにあたり,XYZが必要な政府の許可を得る義務を規定している。この例では,地方税と源泉税(withholding tax)をABCとXYZが50%ずつ負担している。

● 保証と損害賠償の限度 (第4条)

4.1はABCによる保証(Warranty)を表す。ABCは,PIXが公開仕様と評価用に渡しているソフトウェアと「実質的に適合した」(substantial accordance)動作をすることを保証している。この「実質的」という言葉により,多少の不整合等には目をつぶってもらう趣旨である。

4.2はABCによる損害賠償責任の限度を定めるもので,ここでは,いかなる場合もXYZから支払われた額を上限としている。ABCの許諾に関する価格設定は,そうした責任の上限を認めてもらうことを考慮していると述べている。すなわち,そうした上限がなければ,許諾の費用はもっと高くなるという意味であり,責任に上限を設ける合理性を説明している。

UCC(米国統一商事法典)によれば,商品保証の限度や排除に関わる条項については,「目立つように」(conspicuous)書かないと,裁判で認められないとされ,一般には大文字で書く。4.2はそれに従っている。

4.3はABCによる技術サポートである。初期費用にサポートが含まれていることが明記され,コンタクトパーソンが示されている。

● 契約期間と解除 (第5条)

5.1では,契約期間が3年で,いずれかの当事者から期間終了前日までに延長しない旨の書面が出されない限り,さらに3年ずつ延長される旨が規定されている。

5.2は重大な(material)契約違反(breach)に起因する解除を規定する。5.3は会社の解散その他の際に契約を解除できる旨を規定する。5.4は,契約の解除後も有効な規定(秘密保持等)について規定している。いずれ

も汎用性のある表現である。

- **諸事項**（第6条）

6.1（Governing Law）はカリフォルニア州法を準拠法とする。"without reference to its conflicts of law provisions"とは，カリフォルニア州の抵触法（複数の異なる法が存在するときにいずれの法を適用するかを決定するルール）を参照することなく，という意味である。抵触法によると，中国の法律を適用する，などという事態もありうるので，ここではそういった面倒なことを予定せず，実体としてカリフォルニア州法を適用する旨を明示している。また，本項では，仲裁機関として米国の仲裁協会を指定している。仲裁機関の場所は，もちろん交渉上力が強い側に決まること予想されるが，北欧などの第三国や被告地主義といったケースもある。

6.2（Waiver）は，権利放棄に関する条項である。本契約の条項に関して権利主張をしなかった場合でも，後の主張に影響をしない（つまり権利を放棄したわけではない）旨を明示している。一般的な表現である。

6.3（Severability）は可分性又は契約の一部無効に関する条項である。契約の一部が行使できなくなっても，それ以外の部分には影響しないというもの。また，無効になった部分も，適用法の範囲で最も合理的に解釈しようというものである。これも一般的な表現である。

6.4（Entire Agreement）は，完全合意条項と呼ばれ，本契約に至る過去の交渉経緯等はすべて本契約の内容で置き換えられ，本契約の内容のみが有効であることを確認するというものである。また，契約の修正や変更は両当事者の署名のある文書のみによって可能であることも確認している。一般的な条項である。

6.5（Notices）は通知の方法と効力の発生タイミングを規定している。

SOFTWARE LICENSE AGREEMENT

This Agreement is entered into as of September 1, 20xx (the "Effective Date") between ABC Limited, having its registered office at [address], a California corporation ("ABC") and XYZ Technology Co. Ltd., having its registered office at [address], Beijing, People's Republic of China, a Chinese corporation ("XYZ") for the explicit purpose of licensing software developed by ABC to XYZ.

1. **DEFINITIONS**

    1.1 **"Territory"** means People's Republic of China, excluding Hong Kong and Macao and Taiwan.

    1.2 **"PIX"** means the following software modules provided by ABC to XYZ: pix_rend.exe and view_img.exe.

    1.3 **"Product"** means software products employing PIX developed by XYZ.

    1.4 **"End User"** means [   ].

    1.5 **"Source Code"** shall mean [   ].

    1.6 **"Service (s)"** shall mean [   ].

    1.7 **"Modifications"** shall mean [   ].

    1.8 **"Confidential Information"** shall mean [   ].

    1.9 **"Gross Receipts"** shall mean [   ].

2. **GRANT OF LICENSE**

    2.1 **Non-Exclusive Use License Grant.** Subject to the terms and conditions of this Agreement, ABC hereby grants to XYZ a nontransferable, non-exclusive use license for the term of this Agreement to use PIX to develop PIX-based digital contents.

    2.2 **Non-Exclusive Distribution License Grant.** Subject to the terms and conditions of this Agreement, ABC hereby grants to XYZ a nontransferable, non-exclusive license for the term of this Agreement to distribute Product to End Users.

2.3 **Restrictions.** Notwithstanding the generality of the foregoing, XYZ may not, in any way, sell, lease, rent, license, sublicense, or otherwise distribute PIX and Source Code except as expressly authorized by Sections 2.1 and 2.2.

2.4 **Return of Source Code.** Upon termination of this Agreement, XYZ shall immediately return to ABC all Source Code, in whatever form, including all copies, fragments, excerpts, and any materials containing Source Code, whether or not such Source Code has been intermingled with XYZ's own information or materials, and will certify to ABC that all forms of such Source Code have been returned.

3. **FEES.**

3.1 **Initial Payment.** In consideration of the license granted, XYZ shall pay to ABC the following sum for the basic License based on the following schedule: one-hundred thousand U.S. dollars (US $100,000) within thirty (30) days from Effective Date

3.2 **Running Royalty.** In consideration of the license granted hereunder, XYZ shall pay to ABC ten (10) percent of all Gross Receipts obtained from the sales of Product.

3.3 **Licensing Report.** XYZ shall provide to ABC, on or before the thirtieth (30th) day after the close of each month during the term of this Agreement (even if no License Fees have accrued or are to be paid in such period), a report in reasonable detail setting forth the calculation of License Fees due hereunder and signed by XYZ's responsible officer. ABC shall have the right, at its cost and expense, to have an independent Chinese officially qualified auditor conduct, during normal business hours (but not more than once in any twelve month period), an audit of XYZ's records to verify compliance with the terms of this Agreement.

3.4 **Terms of Payment-General.** XYZ shall pay all License Fees that accrue hereunder to ABC within thirty (30) days after the end of each month in which such License Fees have accrued. All fees due ABC hereunder shall be paid to the attention of ABC Directors, and payment shall be made by wire transfer to the bank account to be designated by ABC. Payment of all License Fees shall be made in lawful United States currency.

3.5 **Governmental Permission.** XYZ must apply for an appropriate foreign currency-wiring permit from the Chinese Government to allow XYZ to wire-transfer payments to foreign corporations such as ABC. All local taxes and any other withholdings must be paid at a division of fifty (50) percent from ABC and fifty (50) percent from the XYZ revenue share portion.

4. **WARRANTY AND LIMITATION OF LIABILITY.**

4.1 **Warranty.** ABC warrants that PIX will perform in substantial accordance with ABC's published documentation and evaluation software delivered to XYZ by ABC, used in according with this Agreement, and such other documentations. If, during this time, the Service does not perform as warranted, ABC shall correct PIX within ninety (90) days. ABC will provide XYZ technical support free of charge for upgrades under this agreement within one (1) month after ABC's completion the upgrade.

4.2 **Limitation of Liability.** ABC'S LIABILITY UNDER THIS AGREEMENT FOR DAMAGES WILL NOT, IN ANY EVENT, EXCEED THE LICENSE FEE PAID BY XYZ TO ABC UNDER THIS AGREEMENT. THE PROVISIONS OF THIS SECTION ALLOCATE RISKS UNDER THIS AGREEMENT BETWEEN XYZ AND ABC. ABC'S PRICING OF THE TECHNOLOGY REFLECTS THIS ALLOCATION OF RISKS AND LIMITATION OF LIABILITY.

4.3 **Technical Support.** ABC shall provide technical support to XYZ on PIX with all necessary documentations including but not limited to source code depot access and QA support for developing software using PIX without extra charge, other than the initial one-hundred thousand U.S. dollars (US $100,000) license fee. ABC shall provide a technical contact person. This person will be Mr. [   ]. ABC warrants that within thirty (30) working days to fix the bugs and provide updates.

5. **TERM AND TERMINATION.**

5.1 **Term.** This Agreement will commence as of the Effective Date and continue in full force and affect for a term of thirty-six (36) months, i.e., three (3) years, from the Effective Date, unless more quickly terminated in accordance herewith. Thereafter, this Agreement will renew for additional three (3) year terms unless either party provides the other party with written notice of non-renewal at least sixty (60)days prior to the end of the initial term or any renewal term.

5.2 **Termination for Breach.** Either party may terminate this Agreement immediately upon written notice to the other party if the other party commits a material breach of this Agreement and fails to remedy such breach within sixty (60) days of receiving written notice of such breach from the terminating party.

5.3 **Termination for Other Causes.** Either party may terminate this Agreement immediately upon written notice to the other party upon the occurrence of any of the following : (i) the other party dissolves, becomes insolvent or makes a general assignment for the benefit of its creditors ; (ii) the other party becomes insolvent or unable to pay its debts when they become due ; (iii) a voluntary or involuntary petition or proceeding is commenced by or against the other party under any other statute of any country relating to insolvency or the protection of the rights of creditors, or any other insolvency or bankruptcy proceeding or other similar proceeding for the settlement of the other party's debt is instituted ; (iv) a receiver of all or substantially all of the property of the other party is appointed ; or (v) change of ownership that exceeds fifty-one (51) percent of outstanding interests of XYZ.

5.4 **Survival.** All provisions which by their nature or express terms survive termination, including without limitation obligations regarding treatment of Confidential Information, provisions relating to the payment of amounts due, or provisions limiting or disclaiming ABC's liability, will continue until fully performed.

5.5 **Effect of Termination.** Immediately upon termination hereof, XYZ shall within ninety (90) days terminate all Service that use PIX.

6. **MISCELLANEOUS.**

6.1 **Governing Law.** This Agreement will be governed by and construed in accordance with the laws of the State of California, the United States of America, without reference to its conflicts of law provisions. Any dispute regarding this Agreement will be resolved using the appropriate procedures set forth by the American Arbitration Association, and the parties hereby irrevocably agree to submit to the personal and exclusive jurisdiction and venue of American Arbitration Association.

6.2 **Waiver.** Failure by either party to enforce a provision of this Agreement will not be construed as a waiver of such provision or any other provisions, and will in no way affect such party's right to later enforce such provision or any other provisions.

6.3 **Severability.** If any part of this Agreement is determined to be unenforceable, such unenforceability will not affect the balance of this Agreement, and such unenforceable part will be changed and interpreted so as to best accomplish the objectives of such provision within the limits of applicable law.

6.4 **Entire Agreement.** This Agreement and all Exhibits attached hereto set forth the entire agreement between ABC and XYZ with respect to the subject matter hereof, superseding all prior and contemporaneous negotiations, agreements and writings relating hereto. No amendment or modification of any provision of this Agreement will be effective unless in writing and signed by both parties. Neither party will have any obligation or duty to the other party except as expressly and specifically set forth in this Agreement, and no obligation or duty, and no requirement to use any level of effort in performing a party's obligations and duties hereunder, will be implied by or inferred from this Agreement, any grant of exclusive rights hereunder, or the conduct of the parties hereunder.

6.5 **Notices.** All notices, required, demand, and other communications including, but not limited to, invoices and bills under this Agreement, shall be in writing and shall be deemed to have been duly given on the date of service if served personally on the party to whom notice is to be given, or on the third (3rd) day after mailing if mailed to the party to whom notice is to be given. If notices are mailed they shall be sent by first-class mail, registered of certified, postage prepaid, and properly addressed as follows:

IN WITNESS WHEREOF, the parties have caused this Agreement to be executed by their duly authorized representatives as of the Effective Date.

ABC LIMITED   XYZ CO. LTD.
By : _____   By : _____
_____   _____

Printed Name :   Printed Name :
Title :   Title :
Address :   Address :
Date : _____   Date : _____

第5章
ノウハウライセンス契約

小松 卓人● *Takuto Komatsu*

1　ビジネスモデル

　通常，ノウハウの提供をその内容に含む取引では，ノウハウと一定の設備が同時に提供される場合が多いのではないかと思われる。たとえば，コンビニエンスストアチェーンのフランチャイズ契約に基づき，発注のノウハウと物流網そのものが提供される場合などである。一方，エンタテインメント業界では，ノウハウの提供そのものを契約の対象とする場合がある。本章では，音楽原盤制作におけるプロデューサー契約を例に，レコードビジネスにおけるノウハウライセンス契約について検討を行う。

　旧来，レコードビジネスは，①流通及び製造を担うレコード会社，②アーティストの発掘，育成，マネジメントを行うアーティストマネジメント，③楽曲の管理，プロモーションを行う音楽出版社の三者により運営されてきた。これらの主体が権利配分の調整を図りつつ，音楽原盤の制作上のノウハウ，プロモーション上のノウハウを蓄積し，音楽原盤から発生するレコード製作者の権利，音楽原盤に固定されたアーティストの実演に発生する実演家の権利，音楽原盤に固定された楽曲の作詞，作曲家の権利という著作権上の権利を収益の源泉とし，それぞれ発展を遂げてきたのである。一方で，近年，レコード産業の発展に伴う市場の拡大，成熟を経て，ユーザの嗜好の多様化，細分化が進んできている。その変化のスピードは速まる一方であり，新しく登場した音楽ジャンルに関するノウハウを従来の企業が内製化することは難しくなっている。そこで，多様化したユーザのニーズに対応するため，内部に蓄積されたノウハウだけではなく，外部プロデューサーによる制作，プロモーションのノウハウの提供を必要とするケースが増加してきている。さらに，ヒットの小規模化，アーティストのキャリアの短命化に伴い，以前ほどに原盤制作や宣伝等

に資本を投下することが難しい状況も生じており,今後は音楽配信等の新規のチャネルの増加により,収益の予測がますます困難になっていることから,これらの外部プロデューサーに対して印税方式により業務を発注するケースが増加していくと予想される。

2　リスク分析

　実際の音楽制作は,著作権法の予定していたものと比較して,その方法,手段においてはるかに複雑,多様化している。たとえば,音楽原盤に固定された実演については,実演家に著作隣接権が発生するが(著作権法91条),そもそも「実演」とはどのような行為を指すのであろうか。歌手が歌唱すること,ミュージシャンがギターやドラム等の楽器を演奏することは,何らの疑問の余地をもはさむことなく,誰の目から見ても「実演」としてイメージすることができるであろう。一方で,DJが既存のレコードを使用してスクラッチを行うことや,マニピュレーターがコンピューターのソフトウェアを使用して,指定した音色,タイミングにより,ソフトウェアに音楽再生を行わせることについてはどう評価すべきであろうか。これらのことは,音楽制作の現場においては,日々,ごくごく一般的に行われていることである。そこで,原盤制作に関与した者の間では,以下に掲げる権利を誰が有し,誰が行使しうるのかについて,あらかじめ詳細に定めることが要求される。

2.1　作詞家,作曲家の権利

　音楽の著作物たる楽曲を創作した作詞家や作曲は,当然に当該楽曲の実演が固定された音楽原盤について,一定の権利を有することになる。そこで,以下の権利者に対して,演奏料その他のギャランティの支払いを行うか,印税契約を締結することにより,音楽原盤の売上に応じた印税を支払うこととなる。

2.2　原盤権

　原盤権とは,レコード製作者の権利(著作権法96条 - 97条の3)という,著作権法上認められる著作隣接権である。慣習上,音楽原盤の制作費用を負担し

た者に帰属する。レコード会社と音楽出版社が共同で制作費用を負担し、権利の行使はレコード会社が代表して行うような契約も多い。

2.3 実演家の権利

実演家は著作権法90条の2から95条の3に規定される権利を有する。

2.4 その他の権利について

音楽原盤の制作、流通において重要な役割を担うこととなる主体に対しては、著作権法上認められる権利の他に当事者間において、当事者間の契約によって権利設定を行い、一定の権利を認める場合がある。

本章で取り扱う音楽プロデューサーとの契約については、法定の著作権ないし著作隣接権ではなく、当事者間の契約に基づく権利設定を行うこととなるため、その権利の及ぶ範囲を明確にすることが特に重要である。

3 関連する法律・許認可など

3.1 著作権法

言うまでもなく、著作権法の理解は重要である。日本の著作権法では、権利の発生に登録その他の要件を課していない以上、たとえば、音楽プロデューサーの業務の範疇が、実際には音楽著作物の創作、実演の提供等の著作権法上、保護される領域と近づいているといった場合には、契約上、プロデューサーの提供する業務が、著作権法上どのように評価されるかを規定する必要があるだろう。

3.2 独占禁止法（「私的独占の禁止及び公正取引の確保に関する法律」）

独占禁止法では、商品が小売店で販売される場合の価格をメーカーが拘束することを原則禁止している。しかし、著作物については、その特殊性に鑑み、当該禁止規定の例外となっている（23条）。そこで、レコードメーカーや出版者は、小売店との契約において販売価格の値引き等を制限する規定を設け

ている。当然，小売店としては，売れ残った商品を売り切るための値下げが不可能となることから，音楽CDや書籍の流通においては，独自の返品制度が商慣習として成立している。これらのことは，印税の計算方法を規定する上で重要となる。

4　契約書チェックポイント　　☞モデル契約書5-1

ここでは，音楽原盤の制作において外部の音楽プロデューサーにノウハウの提供を要請する際にレコード会社と当該プロデューサーとの間で締結されるプロデュース契約を例に，契約締結の際にチェックすべき項目について検討する。

- 目的（第1条）

　　本条では，プロデューサーによって提供される役務の対象及び目的を明確にしている。また，レコード会社による成果物の使用の範囲についても，あらかじめ可能な限り明確かつ広範に規定している。モデル契約書においては，特定の音楽原盤のプロデュースとしているが，たとえば，「一定の期間における，特定のアーティストのアルバム○作品」についてのプロデュース契約のように，将来制作予定である作品についての包括的な契約を締結する場合もありうる。

- 権利の帰属（第2条）

　　前述のとおり，プロデューサーによる役務の提供が著作権法上どのように評価されるかについて，明確に定める必要がある。本条では，著作権法上のレコード製作者の地位が原始的にレコード会社に帰属している旨を明記することにより，レコード会社とプロデューサーとの間で契約上取り決めた範囲を超えてプロデューサーが権利主張を行うことにより，円滑な音楽原盤の使用を妨げることのないようにしている。

- 保証（第3条）

　　前述のとおり，音楽原盤の制作過程は非常に複雑化してきている。たとえば，音楽原盤の制作のため，楽曲のアレンジの一要素として既存の音楽原盤の一部を流用するような制作物も存在しうる。このような場合において

は，使用された音楽原盤について，レコード製作者，実演家及び当該原盤に含まれた音楽著作物の権利者より必要な許諾を取得しない限りは，せっかく完成した原盤であっても適法に使用することができないといった事態をも生じうる。そこで，レコード会社としては，制作の指揮にあたるプロデューサーに対して権利侵害が生じないことの保証を求めることが必要である。

● 名称・肖像等の使用（第4条）

プロデューサーに多くの実績があり，「○○プロデュース」と表示することが音楽原盤の販売促進上，多大のメリットをもたらす場合がある。このような「名称／肖像」の使用については，単純にプロデューサーのノウハウ提供に包含されると解釈することは難しく，別途，プロデューサーのパブリシティ権の使用許諾を契約上取得する必要がある。

● 対価（第5条）

レコードの印税計算においては，さまざまな係数を用いて印税を計算する。以下がそれぞれの用語の意味である。もちろん，これらの用語は法律上の概念ではないから，別の用語によって置き換わる場合もある。

a. 純売上枚数

前述のとおり，レコードの流通においては，独特の返品制度が存在する。したがって，実際に販売されたレコードの数量を正確に算出しようとすると，そのレコードの廃盤まで待たなくてはならないことになってしまう。そこで，印税の総額を計算する際の係数である売上枚数については，「純売上枚数」というみなしの売上枚数を設定する。

b. ジャケット代又は容器代

レコードにおいては，印税の支払対象とすべきはあくまでもコンテンツそのものであるとの考えのもと，小売価格におけるCDの盤そのものやケースが占める価格部分については印税の計算対象とせずに，それらのみなし価格を控除した金額をコンテンツそのものの価格とし，印税計算の対象とする。

c. 総収録原盤数にて按分した金額

印税の支払いの対象となる音楽原盤が，その他の原盤と同時にレコードに収録されている場合，契約に基づき算出された金額をその曲数に

よって頭割りにすること実際の印税金額を算出する。たとえば, 10曲入りアルバム・レコードのうちの1曲が契約の対象となる原盤ということであれば, 上記の金額を10で割った金額が実際の印税金額となる。音楽原盤のようにマルチユースを前提とするコンテンツにおいては, あらかじめさまざまな使用態様について, 適正な印税計算方法を規定することが必要となる。

- 第三者使用（第6条）

  本条では, 音楽原盤がレコード会社自身により使用されるのではなく, 第三者のためにライセンスされた場合の対価の分配方法を定めている。近年, 音楽原盤をテレビゲーム中で使用することなど, 第三者による二次的な使用が増加しており, 権利者間においてこのような事態にあらかじめ対応する分配方法を定めておくことが, 円滑な音楽原盤の利用を促進するためにも望ましい。なお, 前後するが, 第5条第3項において音楽配信については本条の適用がない旨言及している。これは, 音楽配信が既存のコンテンツ流通とは異なり, さまざまな契約形態に基づいて行われることから, 一見して第5条と第6条のどちらを適用すべきなのかを判断できないケースが想定されるからである。

- 印税の支払（第7条）

  本条では, 印税の支払時期, 支払方法等について規定している。また, 著作隣接権の存続期間中, この契約に基づいて印税が支払われ続けることとなるので, 支払いが不可能になった場合の措置や支払金額が極めて小額である場合の支払いの繰越し等について規定している。

プロデュース契約書

○○○○(以下「甲」という。)と△△△△レコード株式会社(以下「乙」という。)とは,以下のとおり合意し,ここに本契約を締結する。

第1条(目的)
(1) 甲は,乙の制作する下記の音楽原盤(以下「本件原盤」という。)に関わり,その制作上のノウハウを提供する。

記
<本件原盤の表示>
タイトル:「　　　　　　　　　　」
アーティスト:[　　　　　　　　　]
作詞・作曲:[　　　　　　　　　　]
<最初の発売レコードの表示>
タイトル:「　　　　　　　　　　」
アーティスト:[　　　　　　　　　]
商品仕様／品番:[　　　／　　　]
小売価格:[　　　　　　　　　　]

(2) 乙は,本契約に定める対価の支払を条件として,前項所定のノウハウを利用して,その費用負担により本件原盤を制作する。
(3) 乙は,その裁量により,本件原盤の一部又は全部を使用して,レコードの複製・頒布,宣伝,販売促進,音楽配信その他の目的に使用する。

第2条(権利の帰属)
　本件原盤の著作権法上のレコード製作者の地位及び権利,ならびに本件原盤の所有権は,原始的に乙に帰属する。したがって,甲は,本契約に定める対価を受領する権利を除き,本件原盤に関して,一切の権利主張をも行わないことを乙に対して保証する。

第3条(保証)
(1) 甲は乙に対し,本件原盤及び甲によるノウハウの提供が,著作権者,著作隣接権者その他を含むいかなる第三者の権利をも侵害しないことを表明し,保証する。
(2) 万一,前項に反し,第三者より乙に対し,何らかの権利侵害の申立てが行われた場合には,甲は,その責任と負担により,当該申立てに対処し,解決するものとする。

第4条（名称・肖像等の使用）

(1) 甲は乙に対し, 本件原盤の宣伝, 販売促進のために, 甲の名称, 肖像等を無償にて使用することを許諾する。

(2) 前項の目的のために乙が希望した場合, 甲は, 必要な資料その他を乙に対して提供するものとする。

第5条（対価）

(1) 乙は甲に対し, 本件原盤を使用して制作されたレコード（以下「本件レコード」という。）の純売上枚数1につき, その消費税抜き小売価格よりジャケット代又は容器代を控除した金額に [   ] ％を乗じ, 総収録原盤数にて按分した金額を支払う。

(2) 前項所定のジャケット代又は容器代は, 各発売本件レコードの消費税抜き小売価格の [   ] ％とする。

(3) 乙は甲に対し, 本件原盤を使用した有料音楽配信の売上数量1につき, その消費税抜き販売価格に [   ] ％を乗じ, 総収録原盤数にて按分した金額を支払う。なお, 本契約第6条にかかわらず, 本項は, 本件原盤を使用したすべての有料音楽配信に適用されるものとするが, 上記の計算によりがたい有料音楽配信（もっぱら広告収入に基づき運営される音楽配信サービスを含む）については, 第6条の規定を準用する。

第6条（第三者使用）

乙が, 第三者をして本件原盤を使用せしめた場合, 乙は, 当該使用につき第三者より受領した金額より, 乙の手数料30％を控除した金額に [   ] ％を乗じた金額を甲に対して支払う。

第7条（印税の支払）

(1) 本件レコードの純売上枚数は, 乙の営業所出庫数の80％相当の数量とし, 本件音楽配信の売上数量は, 実販売数量とする。

(2) 本件印税の計算期間及び支払方法は以下のとおりとする。

計算期	計算期間	支払日
第1期	1月1日 ～ 3月31日	5月末日
第2期	4月1日 ～ 6月30日	8月末日
第3期	7月1日 ～ 9月30日	11月末日
第4期	10月1日～ 12月31日	2月末日

(3) 前項にかかわらず, 各計算期間における発生印税総額が5,000円（消費税別）を下回った場合, 乙は, 甲に対する印税の支払を翌計算期に繰り越すことができる。

(4) 本契約に基づき甲に支払われることとなる印税には，源泉所得税が含まれるものとする。
(5) 乙は，甲の指定する下記の送付先に本契約に関わる印税計算書その他の文書を送付し，下記の振込先に印税を支払う。甲は，下記に定める住所又は送付先を変更する場合，速やかに乙に対し，文書による通知を行う。乙による印税の支払が不可能となった時点より3年を経過した時点において，甲の本契約に基づき印税を受領する義務は失効する。

記

<印税の支払先>
　　　銀行名　：[　　　　銀行　　　　支店]
　　　預金種別：[普通預金・当座預金]
　　　口座番号：[No.　　　　　　]
　　　口座名義：[　　　　（カナ：　　　　）]

第8条（権利の譲渡）

　甲は，乙の事前の文書による同意を得ずに，本契約に定める甲の権利を第三者に譲渡してはならない。

第9条（契約解除）

　甲又は乙は，他方当事者が本契約に定める事項に違反した場合，他方当事者に対する文書による通知により，本契約を解除することができる。

第10条（合意管轄）

　本契約に関する紛争の第一審管轄裁判所は，東京地方裁判所とする。

第11条（協議）

　本契約に定めのない事項が生じ，又は，本契約の解釈について疑義が生じた場合，甲乙間にて信義則に基づき協議の上，解決をはかるものとする。

以上，本契約締結の証として，本書2通を作成し，甲乙各自記名，捺印の上，各1通を保有する。

　　　年　　月　　日

　　　　　　　　　　　　　（甲）　住所
　　　　　　　　　　　　　　　　　氏名　　　　　　　　㊞

　　　　　　　　　　　　　（乙）　住所
　　　　　　　　　　　　　　　　　氏名　　　　　　　　㊞

第6章
製造・販売ライセンス契約

西村 千里● *Chisato Nishimura*

1 ビジネスモデル

1.1 概要

　本章では，自社で開発した製品の海外市場における製造・販売を，資本関係のない第三者メーカー，とりわけ海外のメーカーに任せることを目的とした製造・販売ライセンス契約を主として取り上げる。あわせて，自社の海外製造子会社との製造・販売ライセンス契約の場合の留意点も論じる。製造・販売ライセンス契約は製造業界において最も典型的なライセンス契約であり，ライセンス対象としては製品そのものだけでなく，これに付随した特許，ノウハウなどの知的財産権の実施も含まれるが，これら知的財産権のライセンスに関する解説は他の章にゆずり，本章では，その他一般的な留意点に絞って解説をする。

　海外市場に目を向けた場合，わが国のメーカーは歴史的に以下のようなビジネスモデルの変遷をたどってきた。

- ステップ1　日本で自ら製造し，海外市場に輸出
- ステップ2　資本関係のない海外のメーカーへの製造販売ライセンス
- ステップ3　海外に子会社を設立し，その子会社への製造販売ライセンス

本章では，ステップ2，すなわち資本関係のない第三者のメーカーに製造販売ライセンスをする場合の留意点に重点をおき，さらにステップ3，すなわち自らの海外子会社に製造販売ライセンスをする場合の留意点について補足的に解説していく。なお，本文中，ライセンスを与える側をライセンサー，ライセンスを与えられる側をライセンシーと呼ぶ。

1.2 製造・販売ライセンスが利用される理由

メーカーとしては，自ら製造し販売することができれば，製造益及び販売益を享受できるので最も望ましい。しかし，海外市場においては，各国（各市場）の消費者の嗜好や各国の技術規格が異なるために，市場ごとに製品仕様が異なるのが一般的である。各国向け製品を日本で自ら製造するとなれば，マスメリットを活かせない多品種少量生産を余儀なくされる。また，仕向地までの輸出コストも無視できない。世界屈指のわが国の給与水準からして，日本で自ら製造し輸出販売するというのは製造コストが高くなり，よほどの高付加価値製品であって，しかも軽量製品でない限り，現地メーカーと競合することはコスト的にもデザイン的にも極めて困難である。したがって，まずは当該市場に詳しい海外の第三者メーカー（資本関係のないメーカー）に製造販売ライセンスを与え，その市場を任せるという戦略がとられる。

第三者メーカーへのライセンスでは，ライセンサーとしてはライセンス料（一時金とランニングロイヤリティ）のみが収入となるが，製造益及び販売益が得られない分，自ら製造販売した場合に比べて利益の絶対額は少なくなる。そこで資金力のあるメーカーにおいては，次のステップとして自ら現地に製造子会社を設立し，その子会社に製造販売させるという選択肢がとられることになる。

2 製造・販売ライセンス契約の留意点

2.1 ライセンス契約以前の検討課題

2.1.1 相手先の選定

ライセンサーの立場でライセンシーを選定するには，複数候補の中から，製造技術，販売チャンネル，ブランド力，資金力，成長性などさまざまなファクターを検討した上で選択することが望ましい。相手のトップと個人的な付合いがあるからとか，たまたま展示会のブースが隣同士だったからなど，極めて安易な理由でライセンシーを決めてしまうケースも散見されるが，これらは戦略

的なライセンスとはいいがたく，期待した事業成果が得られにくい。

　逆に，海外からライセンスを受けた製品を製造販売するためにライセンサーを選定する場合においても，複数候補を比較検討した上でライセンサーを選定することが望ましい。特にベンチャー企業の新技術・新製品に飛びつくと，思わぬ落とし穴があるので注意が必要である。ベンチャー企業の場合，大手メーカーと違って，資金力が不安定で買収の対象になりやすい上，組織活動というよりも個人の技量に頼るきらいがあり，契約相手先としてはリスクが高い。

　相手先の選定については，大手証券会社や銀行にライセンシングのコンサルタントサービスを行っているところがあるので，これら証券会社や銀行のコンサルティング部門に相談するのも一つの方法である。

2.1.2　製品の市場性

　ライセンシーとしては，消費者の嗜好や気候風土の違い，技術規格の違いなどの制約により，ライセンスを受けようとする製品がそのまま自らの市場に受け入れられるかどうかを十分に吟味する必要がある。また，ベンチャー企業が開発したハイテク製品のライセンスを受けようとする場合には，相手先の技術，製品の完成度も十分に確認する必要がある。一方，自らの事業分野，製造技術レベル，販売チャンネルがライセンスを受けようとする製品にマッチしているかという点も考慮しなければならない。多額のライセンス料を支払ってライセンスを受けたものの，これらの検討が不十分であったために事業として成功しなかったという例も少なくない。

　ライセンシーとして事業リスクを極力回避するには，まずライセンス製品を輸入販売することで市場を開拓し，販売実績が製造設備投資に値することを見極めてから，製造販売ライセンス契約の交渉に入ることである。

2.2　ライセンス契約の主要検討項目

　2.1では，製造販売ライセンス契約を締結する以前に検討すべき点を論じてきたが，次に製造販売ライセンス契約を締結するとなった場合の留意点について考察する。

2.2.1　独占か非独占か

　ライセンシーを1社に限定するのが独占的ライセンスであり，複数のライセ

ンシーにライセンスを与えるのが非独占的ライセンスである。ライセンサーの立場からすると，ライセンスを与える見返りとしての期待ライセンス料というものを設定し，そのライセンス料をどのように回収するかあらかじめ決めておくことが肝要である。

　単独のライセンシーに独占権を与える場合は，そのライセンシーから得られるライセンス料が収入のすべてであるため，いかにライセンス料を確保するかが契約上重要な課題となる。ただし，「独占」といいながら，許諾した地域においてライセンサー自身の製造販売活動が可能なように規定する変則的独占許諾といったケースもありうる。

　一方，複数のライセンシーに非独占的なライセンスを与える場合，独占的なライセンスに比べてそれぞれのライセンス料は低く設定されるのが普通である。各ライセンシーが効率よく事業を行ってくれればトータルのライセンス料が増えることになり，ライセンサーとしては望ましいことであるが，ライセンシー間の競争を防止するためにテリトリーや顧客に制限を加えることは，各国の独占禁止法上の問題となることがあるので注意が必要である。独占禁止法の規定は世界的に一律ではないので，契約書のドラフト段階で独占禁止法上の問題がないかどうかについて当該国の弁護士に確認を求めることをお勧めする。

2.2.2　サブライセンス権の許諾可否

　ライセンサーにとっては，ライセンシーに対して，第三者へのサブライセンス権（再実施許諾権）を与えるかどうかも重要な検討課題である。

　サブライセンスとは，ライセンシーが別の第三者に対して自らに与えられた実施権と同じ権利を許諾することである。図1（次頁参照）の例のように，ライセンシー（サブライセンサー）は，サブライセンシーからサブライセンス料（5%）を受け取り，ライセンサーに対してライセンス料（3%）を送金する。差額（2%）はライセンシーの取り分となる。これがライセンシーとしてのメリットである。一方，ライセンサーとしては，ライセンシーの販売に基づくライセンス料だけでなく，サブライセンシーの販売に基づくライセンス料も徴収できるというメリットに加えて，サブライセンシーの管理監督をライセンシーに任せられるという利点がある。

第6章 製造・販売ライセンス契約

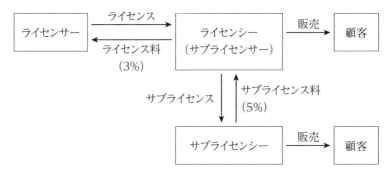

図1 ライセンサー, ライセンシー, サブライセンシーの関係（%はあくまで例示）

逆に, ライセンサーとしてのデメリットは, サブライセンシーの事業活動に関与できにくいということである。また, 商標権も含めたサブライセンスの場合, サブライセンシーが製造販売するライセンス製品に品質問題が起こるなど, 自社のブランドイメージが傷つけられるリスクが拡大することもある。高いブランドイメージを確立しているメーカーであれば, 商標権を含めたサブライセンスは許諾しないのが一般的である。

> **サブライセンス権つきの独占権許諾の場合の規定例**
> Licensor hereby grants to Licensee the exclusive license, with the right to sublicense, to manufacture and sell the Products in the Territory.
> （注：hereby=by this Agreement）
>
> 【参考訳】
> 　本契約においてライセンサーは, ライセンシーに対してテリトリー内でライセンス製品を製造し販売する, サブライセンス権つきの独占的実施権を許諾する。
>
> **サブライセンス権なしの非独占権許諾の場合の規定例**
> Licensor hereby grants to Licensee the non-exclusive license, without the right to sublicense, to manufacture and sell the Products in the Territory.
>
> 【参考訳】
> 　本契約においてライセンサーは, ライセンシーに対してテリトリー内でライセンス製品を製造し販売する, サブライセンス権なしの非独占的実施権を許諾する。

2.2.3　商標の使用許諾可否

　第三者であるライセンシーに対して自らの商標を使用させてよいかどうかは，ライセンサーにとって重要な検討事項である。一般的には，商標はいわば人間の苗字のようなものであって，赤の他人に自らの苗字を名乗らせるということはあまり考えられないのと同様に，第三者であるライセンシーに自らの商標を使用させることはない。しかし，ライセンサーが積極的に自社商標の認知向上を意図するのであれば，ライセンス契約において自社商標の使用を義務づける規定を設けることもできる。この場合，ライセンサーとしては，自らの商標イメージを損なうことがないように，ライセンシーに対してライセンス製品の品質維持について厳しく規定しておくことになる。将来的に，ライセンス契約を解除し，現地に自ら子会社を設立して製品を販売するという戦略を持っている場合には，事前にライセンシーの力を借りて自らの商標及び製品の認知度を高めることができるので有効な手段である。自らの子会社がライセンシーである場合は，積極的に自らの商標を使用させることが一般的である。

　一方，ライセンシーとしては，ライセンサーの商標を付した製品を販売するか，自らの商標を付して製品を販売するかの選択は重要な検討事項である。ライセンサーの商標が広く認知されているものであればライセンス製品の販売向上が期待できるが，自らの商標の認知向上には寄与しない。商標許諾についてはさまざまな条件を規定するため，ライセンス契約とは別に商標許諾契約を締結することが多い。

商標使用権を許諾する場合の規定例

If Licensee desires to use the trademark "xxxx" owned by Licensor for the Products manufactured and sold by Licensee, Licensor agrees to grant to Licensee the use of the trademark "xxxx" for the Products subject to a trademark license agreement to be separately agreed upon by both party.

【参考訳】
　ライセンシーが，ライセンサーの所有する[xxxx]商標を自ら製造し販売するライセンス製品に付したいと希望する場合，ライセンサーは，別途両当事者で合意する商標許諾契約に基づきライセンシーに対して[xxxx]商標の使用許諾をすることに同意する。

2.2.4 ライセンス料の設定のしかた

A　絶対額

　ライセンス料をいくらにするかについては，ライセンス契約の最も重要な項目であり，かつ交渉が難しい項目である。ライセンサー，ライセンシーそれぞれの立場でライセンス料の評価方法が異なる。

- コスト・アプローチ

　ライセンス製品の開発に要したコストをライセンス料とする考え方であって，ライセンサーの立場であればこの考え方からスタートするのが一般的である。

- マーケット・アプローチ

　ライセンス製品の販売で得られる(であろう)利益の一定割合をライセンス料とする考え方であって，ライセンス料の原資が販売利益で確保されていることから，ライセンシー側としてはこの考え方をとるのが一般的である。

B　ライセンス料の支払方式

ライセンス料の支払方法としては，固定ライセンス料とランニングロイヤルティの二方式に大別される。

- 固定ライセンス料

　固定ライセンス料とは，ライセンス料を固定し，1回又は複数回に分割して支払うものである。契約直後に一時金として一括で支払うライセンス料もこれに該当する。確実にライセンス料を確保できるのでライセンサーにとっては望ましい方法である。一方，ライセンシーとしては，事業が成功しなければ持出しになるが，事業が期待以上に伸びれば結果として安い買い物となるので，ライセンシー側のリスクが大きい支払方法である。

- ランニングロイヤルティ

　ラインニングロイヤルティとは，ライセンス製品の売上に応じて支払うライセンス料である。金額の計算方法として，ライセンス製品の販売価格に一定の料率をかける方法やライセンス製品1個当たりいくらと規定する方法などがある。販売額(量)に応じてライセンス料を支払う出来高払方式であるので，ライセンシーとしては望ましい方式といえる。一方，ライセンサーとしては，ライセンシーの販売努力次第でライセンス料が変動するた

め，ライセンサー側のリスクが大きい支払方法といえる。そこで，実務的には，ライセンサーとライセンシー双方にとって許容しやすい一時金とランニングロイヤルティの併用という方法が多く採用されているようである。

> **締結直後に支払う頭金とランニングロイヤルティの両方を対価とする場合の規定例**
> In consideration of the license granted under this Agreement, Licensee agrees to pay to Licensor:
>   (1) An initial sum of [   ] within thirty (30) days after the effective date of this Agreement, and
>   (2) A royalty at the rate of [   ] percent ([   ]%) of the Net Selling Price of all Products sold or used by Licensee during the term of this Agreement.
>
> 【参考訳】
>   本契約に基づき許諾されるライセンスの対価として，ライセンシーは，以下をライセンサーに支払うことに同意する。
>   (1) 本契約の締結日から30日以内に，[金額]の頭金
>   (2) 本契約の契約期間中，ライセンシーが販売もしくは使用するすべてのライセンス製品の正味販売価格の [   ] ％のロイヤルティ

C　ランニングロイヤルティの最低保証額

独占権を与える場合，ライセンサーはランニングロイヤルティに最低保証額（ミニマムロイヤルティ）を設定することがある。たとえば，年間のミニマムロイヤルティを規定しておき，その額に満たなかった場合は次年度から非独占的ライセンス契約に切り替えるというものである。

ライセンシー側からすれば，ミニマムロイヤルティを設定しないか，設定してもその額をできる限り低く抑えたいところである。また，ライセンシーが独占権に固執するなら，実質のロイヤルティとミニマムロイヤルティとの差額を支払うことにより次年度の独占権を維持できるというオプションを設けてもらうこともありうる。これはミニマムロイヤルティ額の収入が確保されるので，ライセンサーにとっても合意しやすいであろう。

ロイヤルティの最低保証額の規定例

In the event that the amount of royalties payable to Licensor shall be less than [minimum royalty amount], Licensor shall be permitted to convert the license hereunder into a non-exclusive license. Licensee may maintain the exclusiveness of the license by paying to Licensor the difference between the actual amount of royalties and the amount of [minimum royalty amount].

【参考訳】
　ライセンサーに支払うロイヤルティが[最低ロイヤルティ保証額]より少なかった場合，ライセンサーは本契約に基づくライセンスを非独占的ライセンスに切り替えることができる。ライセンシーは，[最低ロイヤルティ保証額]と実際のロイヤルティ額の差額をライセンサーに支払うことにより独占的ライセンスを保持することができる。

D　ランニングロイヤルティのディスカウント

　ライセンシーの販売意欲を維持する意味で，ランニングロイヤルティの累積額に応じてロイヤルティ率やロイヤルティ額を減額する方式がとられることがある。

　下記は，ロイヤルティ率を当初5％，支払ロイヤルティ累積額が10万ドルを超えたら4％，さらに30万ドルを超えたら3％というように低減させる規定である。

累計額に応じてロイヤルティ率を減額する場合の規定例

Licensee agrees to pay to Licensor royalties as follows:
(1) Five percent (5%) of the Net Selling Price of the Products until such time as Licensee had paid to Licensor One Hundred Thousand U.S. Dollars (U.S.$100,000) in cumulative royalties.
(2) After payment of such One Hundred Thousand U.S. Dollars (U.S.$100,000) in cumulative royalties set forth above, the royalty rate will decrease to four percent (4%) until such time as Licensee has paid to Licensor Three Hundred Thousand U.S. Dollar (U.S.$300,000) in cumulative royalties.
(3) After payment of such Three Hundred Thousand U.S. Dollars (U.S.$300,000) in cumulative royalties, the royalty rate will decrease to

three percent (3%) which royalty rate shall remain in effect during the remainder of the life of the Agreement.

【参考訳】
　ライセンシーはライセンサーに対して以下のロイヤルティを支払うことに合意する。
　　(1) ロイヤルティ支払額の累計が10万ドルになるまでは，ライセンス製品の正味販売価格の5％に相当するロイヤルティ
　　(2) ロイヤルティ支払額の累計が10万ドルを超えた後，累計額が30万ドルに達するまでは，ロイヤルティ率は4％
　　(3) ロイヤルティ支払額の累計が30万ドルを超えた後，本契約の期間を通してロイヤルティ率は3％とする。

E　ライセンス料に対する源泉所得税

　ライセンス料は源泉所得税の対象となるので，ライセンス料の規定の中で源泉所得税の扱いを考慮しておく必要がある。いざ送金という時点でライセンサーとライセンシーとの間で源泉所得税に関して論争となることがあるので留意されたい。
　本来，源泉所得税とは，ライセンサーがライセンシーからライセンス料を受領する際に，ライセンシーの国で発生するライセンサーの所得（ライセンス料）に対して課せられる所得税であり，ライセンサーが支払うべきものである。ライセンス料の交渉の際にその絶対金額が源泉所得税込みなのか，源泉所得税を差し引いた正味の金額なのかをあらかじめ合意して規定しておくことが必要である。国によって異なるが，源泉所得税の税率は10％から30％であり，決して軽視できない税額である。
　通常は，ライセンシーがライセンス料を送金する際に，ライセンサーに代わって源泉所得税を支払い，源泉所得税を差し引いた金額をライセンサーに送金するという手続がとられるのが普通である。ライセンサーとしては，ライセンス収入（ライセンス料）に対して，ライセンシーの国と自国の両方で所得税を納付することになる。主要国間ではこの二重課税を低減するために租税条約が締結されており，あらかじめ申請書を税務当局に提出することで，源泉所得税の料率を低減できるなどの便宜が図られている（たとえば，日本とドイ

ツ間の租税条約に基づき，あらかじめ申請書を税務当局に提出しておくと，ライセンス料に課せられる源泉所得税の税率が通常20％であるものが10％に低減される）。また，源泉徴収された所得税について，税務当局から納税証明書を入手すれば，自国で税額控除の申請を行うことができる。したがって，ライセンシーの義務として，源泉所得税の納税証明書を入手してライセンサーに送付するように規定しておくことがよくある。

> **源泉所得税についての規定例**
>
> The income tax imposed upon Licensor by the Government of [name of country of Licensee] with respect to the amounts payable hereunder shall be for the account of Licensor and shall be deducted from said due amounts by Licensee on behalf of Licensor at the time of their remittance. Licensee shall send to Licensor a certificate showing the payment of the tax issued by the relevant authorities of the Government of [name of country of Licensee] with English translation.
>
> 【参考訳】
> 　本契約に基づき支払われる金額に対して，[ライセンシーの国]政府によりライセンサーに課せられる所得税はライセンサーの勘定とし，送金時にライセンシーによって，ライセンサーに代わって，かかる送金から差し引かれるものとする。ライセンシーは[ライセンシーの国]政府の当局から発行される所得税の支払いを示す証明書を英訳つきでライセンサーに送付する。

2.3　テリトリー

　通常，世界で1社にだけライセンスするということはあり得ず，地域ごとあるいは国ごとにライセンシーを設定することが一般的である。ここでライセンサーが留意しなければならない点は，ライセンシー間に不当な競争制限を課すことは避けるということである。また，契約においていわゆる並行輸入を禁止することはできない。特にEU域内のように国家間の物流がボーダーレスになっている地域においては，契約的にもビジネス的にも流通を制限することは不可能であるとの前提に立ってライセンスをしなければならない。

> **テリトリーの規定例**
>
> For the purpose of this Agreement, Territory means Japan, South Korea and Taiwan.
>
> 【参考訳】
>
> 　本契約において，テリトリーとは，日本，韓国及び台湾を指す。

2.4　契約期間

　契約期間は当事者たるライセンサーとライセンシーとの間で自由に決められる事項であるが，特許の実施許諾を基本としたライセンス契約であれば，当該特許の有効期間と契約期間を一致させるのが一般的であり，ノウハウの実施許諾の場合は，当該ノウハウが商業的に価値ある秘密情報であり続ける限りは契約を継続することが合理的である。ノウハウは一定の期間が過ぎれば陳腐化するので，実務的には一定期間（たとえば10年間）の期間限定とすることが多いと考えられる。

　ライセンサーとしては，ライセンシーに対して一定期間あるテリトリーでの製造販売を任せ，市場性が見極められたら，当該テリトリーに製造子会社を設立して自ら製造販売を開始するという戦略をとることもありうる。そのような状況を想定した場合，ライセンサーとしては，自らの裁量でいつでも契約を解除できると規定したいところである。

　一方，ライセンシーとしては，製造設備や販売ルートに対して相当の投資を行うのであるから，できるだけ長い期間，契約を継続したいと考えるのが当然である。

　ここで留意すべき点は，契約をできるだけ長く継続したいのか，逆にいつでも契約を終結したいのかによって，契約期間の延長につき，自動継続か自動終結か規定のしかたが変わってくることである。ライセンシーがライセンサーの子会社である場合には，継続的にライセンス料を取り続けるように自動継続の規定とすることが多い。

> **契約期間を自動継続する場合の規定例**
>
> This Agreement shall become effective from the Effective Date and shall continue to be effective for ten (10) years from the Effective Date unless terminated as provided elsewhere in this Agreement.
>
> This Agreement shall automatically renewed for five (5) year period thereafter, unless either party gives to the other party a notice of termination in writing at least sixty (60) days prior to the expiration of the original term of this Agreement or any renewal period hereof.
>
> 【参考訳】
>
> 　本契約は，本契約のその他の規定により早期に終結しない限り，契約発効日から10年間有効に存続するものとする。
>
> 　本契約は，いずれかの当事者が他方当事者に対して契約満了日又は更新期間満了日の60日前までに書面にて終結の通知を与えない限り，さらに5年間自動的に延長されるものとする。

2.5　解除条件

契約の解除条件としては，以下のようなものが一般的である。

(1) 一方の当事者が，重大な契約違反をおかし，一定期間にそれを是正し得なかった場合
(2) 一方の当事者が，破産などにより契約の義務を履行し得なくなった場合
(3) 買収，合併などにより経営形態が変わった場合

従来は，いずれの規定も通常は起こり得ない事柄という認識が強く，お決まりの一般条項（ボイラー・プレート）の一つとして規定されているに過ぎなかった。しかし，最近のように，M&Aや事業再編が日常茶飯事となってくると，(3)の規定が新たな条件交渉の引き金になる場合もあるので留意されたい。(3)のそもそもの主旨は，万一相手方当事者が非友好的な競合他社の傘下になった場合は，契約を解除したいというものであるが，グループ企業内の事業再編に伴って資本関係が変わるような場合も(3)の規定に該当し，契約の再交渉を余儀なくされることもあるので，(3)の規定の仕方については検討を要する。

> **契約解約条件の規定例**
>
> Either party may terminate this Agreement at any time upon notice given to the other party, in writing:
> (1) if such other party commits a material breach of this Agreement which is not effectively remedied by such other party within sixty (60) days after written notice thereof by the other party,
> (2) if such other party is dissolved, liquidated, declared bankrupt or become insolvent or has commenced proceedings relating to bankruptcy or creditor composition or become a non-surviving party to a merger or amalgamation, or
> (3) if a material change of control has occurred in such other party.
>
> 【参考訳】
> 以下の場合,いずれの当事者も他方当事者に書面にて通知することによりいつでも本契約を解除できるものとする。
> (1) 相手方当事者が重大な契約違反を犯し,他方当事者から書面にてその旨を通知されてから60日以内にかかる違反を是正しなかった場合,
> (2) いずれかの当事者が,解散もしくは清算した場合,破産宣告された場合,支払不能になった場合,破産又は債権者和議に関する手続を開始した場合,あるいは吸収,合併される側(存続会社でない側)となった場合,もしくは
> (3) 相手方当事者の支配権に重大な変更が生じた場合。

2.6 ランニングロイヤルティの監査

　ライセンシーから送金されるランニングロイヤルティの額が妥当かどうか,ライセンサーとしては監査する権利を留保しておくべきである。具体的には,ライセンシーに対してライセンス製品の販売額を記述した帳簿の保管を義務づけるとともに,帳簿の監査を実施する権限を規定する。実際に監査を実施することを想定していなくても,監査権を規定することにより,ライセンシーによるランニングロイヤルティの過小申告を防止する抑止力にはなる。また,監査の結果一定率以上の違算があれば,監査に要したコストをライセンシーが負担すると規定すればさらに抑止効果が高まるであろう。できれば,年に1回程度ライセンシーを訪問して情報交換を行うとともに,帳簿の閲覧を行うことが望ましい。

> **監査権の規定例**
> Licensee shall keep the records, files and books of account containing all data required for the full computation and verification of the royalties to be paid to Licensor for three (3) years.
> Licensee shall permit Licensor or its designee to inspect the same for the sole purpose of determining accuracy of the amounts payable by Licensee. Such inspection shall take place at the office of Licensee during normal business hours at Licensor's expense. If an inspection shall reveal an error in excess of five percent (5%) of the amounts accounted for and paid to Licensor, Licensee shall pay all reasonable costs of such inspection in addition to the amounts unpaid.
>
> 【参考訳】
> 　ライセンシーは，ライセンサーに支払うべきロイヤルティの計算と立証のために要求される記録，ファイル及び会計帳簿を3年間保管するものとする。
> 　ライセンシーは，ライセンサー又はその指名者がかかる金額が正確かどうかを確認するために，記録，ファイル及び会計帳簿を監査することを許可するものとする。かかる監査は，ライセンサーの費用で，ライセンシーの事務所で通常の業務時間中に行われるものとする。もし監査においてライセンサーに報告され支払われた金額の5%を超える誤差が発見された場合，ライセンシーは未払金額に加えてかかる監査に要したすべての妥当な費用を支払うものとする。

2.7　守秘義務

　ライセンサーにとって，製品の製造に必要な情報は自らの「価値ある秘密情報」であり，ライセンシー以外の第三者に漏えい，開示されることは絶対に避けたいところである。また，この情報をライセンス製品の製造以外の目的（たとえばライセンシーの独自製品の開発）に使用することも禁止したいと考える。このため，ライセンシーに開示する情報は必要最低限なものに限定し，かつ開示した情報の管理についてライセンシーに厳格な義務を課すように規定すべきである。

　とはいえ，一旦情報を開示してしまうと，いかに契約書で規定しようと秘密情報が漏えいし，公知情報となってしまうリスクをゼロにすることはできない。特許，意匠などの知的財産権でライセンス製品を自ら保護することも当然重

要であるが，偶発的にでも自社の価値ある秘密情報を漏えいされてしまえば多大な損害を蒙ることになるので，コアとなる技術についてはできる限り開示せず，ブラックボックス化しておくことが望ましい。具体的には，コアとなる技術を包含する部分は，ブラックボックス化した集積回路やモジュール部品として供給するなどして自社の機密情報の漏えいを防止する方法などが考えられる。

　ライセンシーがライセンス製品の製造のすべてを自社で行うことができず，サブコントラクター（下請製造業者）にライセンス製品の一部（部品）の製造委託を希望することがある。ライセンサーがやむを得ないと判断した場合，サブコントラクターに守秘義務を課すことを条件に，必要最小限の情報を開示することを認めることもある。

サブコントラクターへの秘密情報開示を認めた秘密保持の規定例
Licensee shall hold strictly in confidence any and all information disclosed to it by Licensor under this Agreement and shall use the same exclusively in its manufacture of the Products.
Provided, however, that Licensee may disclose such information to its subcontractor to the extent necessary for such subcontractor to manufacture parts of the Products, on condition that Licensee shall have such subcontractor agreed, in writing, to hold such information strictly in confidence and never use the same for other purposes.

【参考訳】
　ライセンシーは，本契約に基づきライセンサーから開示されたいかなる形式の情報も秘密に取り扱い，秘密に保持し，またかかる情報を自らのライセンス製品の製造のためのみに使用するものとする。ただし，ライセンシーは，かかる秘密情報を秘密に保持し，他の目的に使用しないことを書面にて自らの下請製造業者に同意させることを条件として，かかる秘密情報を，ライセンス製品の部品を製造するために必要な範囲においてかかる下請製造業者に対して開示することができる。

A　サブライセンスとサブコントラクトの違い
　サブライセンスとは，サブライセンシーが自らライセンス製品を製造し自ら

の販売チャンネルで販売する権利を許諾することであるのに対し，サブコントラクトとは，製造下請のことであり，サブコントラクターは製造したライセンス製品やライセンス製品に使われる部品を自らの販売チャンネルで販売する権利を許諾されたわけではなく，すべて注文者（ライセンシー）の代わりに製造し，注文者に納品するに過ぎない。

3　契約書チェックポイント　　　☞モデル契約書6-1

ここでは，製造販売ライセンス契約モデルの各条項について説明する。

- 冒頭文

  契約の当事者，契約の発効日を記載する。

- 前文

  当事者が契約に至った理由，経緯を記述する。義務や権利を規定しているものではなく，法的な拘束力はないが，当事者間で紛争が起きた場合には前文が斟酌されるので，事実を簡潔明瞭に記載すること。当事者間に紛争が起きた場合，国内契約では契約に至るまでの約束や言質も斟酌されるが，英米法に基づく国際契約では完全契約条項（後述，本モデルでは15条）により，過去の約束や言質は否定されるので，経緯を残しておきたいのであれば，積極的に前文に経緯を記載すること。

- 定義（第1条）

  契約書に繰り返し出てくる重要語句について定義しておく。定義された語句は契約書の中で特別の意味を持つものであるので，大文字で書き，一般名称と区別すること。

- 権利の許諾（第2条）

  独占・非独占の違い，サブライセンス権の有無，テリトリーなどライセンシーに許諾する権利を明記する。独占の場合であっても，ライセンサー自身が許諾した地域で製造販売を行う権利を留保したい場合はその旨を明記すること。

- 技術情報の提供とサービス（第3条）

  ライセンサーからライセンシーに提供する，製造に必要な技術情報を規

定する。書面には書ききれない，いわゆるノウハウの伝授のため，研修方法やその条件も規定されることが一般的である。

- 材料，部品の供給（第4条）

  ライセンス製品の製造に欠かせない材料，部品を提供することを規定する。注意すべき点は，いわゆる抱合せ販売として独占禁止法に抵触するおそれがあるので，ライセンサーからの材料や部品の購入をライセンシーに対して強制することは避けること。

- 支払，報告，監査（第5条）

  ライセンス料（一時金，ランニングロイヤルティ）の絶対額や料率及び支払手続について規定する。金銭授受の部分であるので，支払手続については細かく規定されることが多い。後々当事者間でもめぬように，ライセンサーに課せられる源泉所得税についても規定しておくこと。また，ここでライセンシーが正しくライセンス料を支払っているかどうかの監査権を規定する。過少申告抑制のため，一定金額以上の違算があれば，ペナルティとして監査に要した費用をライセンシーに負担させるように規定することが一般的である。

- 秘密遵守（第6条）

  ライセンシーに対して，ライセンサーから提供された情報を厳秘に保持し，かつライセンス製品の製造にのみ使用し他の用途に転用しないことを約束させる。また，ライセンシーが下請業者を使って部品等を製造させたいと考えることがあるので，その場合は下請業者に対して同様の秘密保持義務を課すようにライセンシーに責任を負わせること。製造ノウハウは漏えいしてしまうと取返しがつかないので，実務上はコアとなる部品やコンポーネントをブラックボックス化しておき，重要な製造ノウハウがライセンシーに移転しないように秘密情報の保護を図ることが重要である。

- 改良と開発（第7条）

  ライセンシーがライセンス製品の製造販売を行う過程で，ライセンス製品に関して新たな発明や改良が生じることがある。その発明や改良の取扱いを規定する条項。一般的にこれらの発明や改良をライセンサーに譲渡（アサインバック）させることは独占禁止法上問題であるが，実施許諾（グ

ラントバック)させることは問題ない。ただし,フェアな契約にするため,ライセンシーの新たな発明や改良をライセンサーに許諾させる一方,ライセンサーが契約期間中に成した新たな発明や改良もライセンシーに対して追加対価なくライセンスすることを規定しておくことが望ましい。

- 保証(第8条)

  ライセンス製品が第三者の知的財産権に抵触していないこと,提供された情報がライセンス製品の製造に十分であることなど,ライセンシーとしてはできる限りライセンサーに保証してもらいたいと考え,一方,ライセンサーはできる限りこの種の保証はしたくないと考えるため,両者の妥協点を見い出して保証条項を規定する。

- 契約期間と終結(第9条)

  契約期間を規定する。ライセンサー,ライセンシー双方の思惑があるので交渉により契約期間を決定する。終結条件については,相手方が重大な契約違反を犯し,それを修復できなかった場合,M&Aなどにより相手方の経営体制が変わった場合,倒産などにより経営ができなくなった場合などが規定されるのが一般的である。

- 不可抗力(第10条)

  天変地異や戦争など,当事者の管理範囲を超える事態が起きた場合の規定。

- 輸出管理法規の遵守(第11条)

  新聞等で報道されているように,輸出管理法規違反で検挙される企業があとを絶たない。製造技術には輸出管理法規に照らして当局の許可が必要なものがあるので,契約書に輸出管理条項を規定するとともに,契約の履行時において輸出管理の専門家にコンサルティングを仰ぐことをお勧めする。

- 譲渡(第12条)

  他方当事者の了解なしに,勝手に契約を第三者に譲渡することを禁止する。実務的には事前の話合いにて,譲渡を認めることもありうる。

- 通知(第13条)

  契約解除や延長の提案など,契約に関わる重要な通知の方法を規定す

る。この規定が対象とする通知には、担当者間の日常的な通信などは含まれない。

- 仲裁（第14条）

  ビジネス上の紛争解決手段としては仲裁が一般的である。仲裁の利点としては、非公開で行うことができること、仲裁人にその分野の専門家を充てることができること、1回の仲裁で裁定が下ること、仲裁裁定は裁判所に付託することで裁判による判決と同等の法的効力を有するということがある。

- 完全契約（第15条）

  契約に規定されていることが当事者間のすべての合意事項であり、過去にどのような約束や合意があったとしても、それらは無効になるという条項。過去の経緯も斟酌される国内契約とはまったく異なる契約思想なので、国際契約を締結するときは十分に留意すべき事柄である。

- 非放棄（第16条）

  一方の当事者に契約不履行があり、他方当事者がその契約不履行を追及しなかったとしても、それをもって将来にわたって契約不履行を追及する権利を放棄したということではないことを規定した条項。

- 分離性（第17条）

  万一、契約のある条項が違法あるいは無効となっても、その条項を除いた他の条項は有効であることを規定した条項。さらに、違法あるいは無効となった条項を、そもそもの当事者の意向に沿って合法かつ有効な規定に修正することを約することが望ましい。

- 準拠法、言語（第18条）

  契約解釈の基本となる準拠法と言語を規定する。

- 結文

  両当事者の代表により署名し、契約を発効させたことを明言する。

- 署名欄

  両当事者を代表して署名する者の名前、肩書、署名日を記載する欄。

- その他の事項

  複数ページにわたる契約書では、国内契約書における契印のように、各ページに双方の署名者のイニシャルを記し、差替えを防止することがある。

イニシャルの記す位置に決まりはないが, 概ね各ページの右下が多いようである。

【参考文献】
吉川達夫・森下賢樹編著『ライセンス契約のすべて(実務応用編)』(第一法規, 2018年)
大貫雅春『国際技術ライセンス契約〔3訂版〕』(同文館, 2015年)
松下電工株式会社法務部編『研究・製造・販売部門の法務リスク』(中央経済社, 2005年)
牧野和夫・河村寛治・飯田裕司『国際取引法と契約実務〔第3版〕』(中央経済社, 2003年)
吉川達夫・河村寛治編著『実践　英文契約書の読み方・作り方』(中央経済社, 2002年)
中島憲三『英文ライセンス契約書の書き方〔第2版〕』(民事法研究会, 2009年)
松枝迪夫『法務と契約の実務　国際取引法〔第2版〕』(三省堂, 2006年)
小中信幸・仲谷栄一郎『国際法務のノウハウ』(ぎょうせい, 1992年)
JCAジャーナル(日本商事仲裁協会)

MANUFACTURE AND SALES LICENSE AGREEMENT

THIS AGREEMENT made and entered into this [   ] day of [month], 20xx (hereinafter referred to as "Effective Date") by and between Licensor Corporation, a corporation organized and existing under the laws of [name of country] and having its principal office at [address] (hereinafter referred to as "Licensor") and Licensee Corporation, a corporation organized and existing under the laws of [name of country] and having its principal office at [address] (hereinafter referred to as "Licensee"),

WITNESSETH THAT:

WHEREAS, Licensor has for many years been engaged in the design, manufacture and sale of [name of product] and has acquired a substantial amount of technical information, know-how, knowledge and experience relating thereto; and

WHEREAS, Licensee is desirous of obtaining the right and license to manufacture, use and sell [name of product] by receiving the information, know-how, knowledge and experience owned by Licensor under the terms and conditions hereinafter stated, and Licensor is willing to comply with such desires of Licensee, trusting the Licensee's business potential and seriousness for establishing a cooperative relationship.

NOW, THEREFORE, in consideration of the premises and the mutual covenants and agreements herein contained, the parties hereto agree as follows:

Article 1   Definitions

For the purpose of this Agreement, the following terms shall have the meaning hereinbelow assigned to them respectively:

(1) "Technical Information" means drawings, designs, specifications, charts, test reports and all other materials used by or in the possession of Licensor on the Effective Date of this Agreement and applicable to the design, manufacture and test of [name of product].

(2) "Products" mean [name of product] which incorporate the Technical Information, or are covered by any of the information constituting part of the Technical Information.

製造販売ライセンス契約（参考訳）

本契約は, 20xx年 [ ] 月 [ ] 日 (以下, 発効日という) に, [国名] の法律に基づき組織され存続し, その事業の主たる事務所を [住所] に有する法人, ライセンサー・コーポレーション (以下, ライセンサーという) と, [国名] の法律に基づき組織され存続し, その事業の主たる事務所を [住所] に有する法人, ライセンシー・コーポレーション (以下, ライセンシーという) との間に締結された。

前　文

ライセンサーは, [製品名] の設計, 製造及び販売に永年従事しており, これに関する相当量の技術情報, ノウハウ, 知識, 経験を所有している。

ライセンシーは, 本契約に規定されている条件に基づいて, ライセンサーの所有する情報, ノウハウ, 知識及び経験の提供を受けて, [製品名] を製造し, 使用し, 販売する権利を取得することを希望しており, ライセンサーは, ライセンシーの事業の可能性及び協力関係を確立することに対する真剣さを信頼して, ライセンシーのかかる希望に応ずる意思を有している。

よって, 本契約に記載の前提条件及び相互の誓約と合意を約因として, 本契約の両当事者は以下のごとく合意した。

第1条　定義
本契約のため, 次の用語は, それぞれ以下に付された意味を有する。

(1) 「技術情報」とは, 本契約の発効日にライセンサーが使用又は所有し, [製品名] の設計, 製造及び試験に使用する図面, 設計図, 仕様書, 図表, テストレポート及びその他のすべての資料をいう。
(2) 「製品」とは, 技術情報を構成する情報のいずれかを組み込んだ, もしくはそれらに基づく, あるいはすべてであるか一部であるかを問わず, それらを使用して製造される [製品名] をいう。

(3) "Territory" means [names of countries or territories].

(4) "Net Selling Price" means the gross selling price of the Products as invoiced by Licensee, less the following items:
   (a) sales, use or turnover taxes,
   (b) custom duties,
   (c) packaging and transportation charges, and
   (d) customary trade and quantity discounts.

In the event the Products are used by Licensee or sold to the affiliated companies of Licensee, "Net Selling Price" for said use or sale shall be the same Net Selling Price at that Licensee customarily sells comparable Products to a third party customer.

Article 2   Grant of Right

2-1 Licensor hereby grants to Licensee the exclusive license, without the right to sublicense, to manufacture and sell the Products in the Territory.

2-2 Notwithstanding the exclusive nature for the sale in the Territory, Licensee agrees not to use any exclusive right herein granted to exclude or attempt to exclude from sale within the Territory of any Products manufactured by Licensor.

Article 3   Technical Information and Services

3-1 Licensor shall, within ninety (90) days after the Effective Date of this Agreement, furnish to Licensee the Technical Information in documentary form. All drawings and documents to be supplied by Licensor will be in the English language, and the measurement and specifications employed therein will be in accordance with the metric system.

3-2 Upon written request of Licensee, Licensor agrees to accept a reasonable number of Licensee's personnel at Licensor's facilities in [name of country] for the purpose of training and instructing such personnel in the design, manufacture and test of the Products, provided, however, that such training does not exceed sixty (60) man-days for the first one-year period commencing on the Effective Date of this Agreement and thirty (30) man-days for the subsequent each one-year period. The traveling expenses to and from Licensor's facilities, living expenses during their stay in [name of country] and all other expenses incurred in this connection shall be borne by Licensee.

(3) 「地域」とは,[国名又は地域名]をいう。
(4) 「正味販売価格」とは,ライセンシーが請求する製品の総販売価格から,次のものを差し引いた価格をいう。
  (a) 販売税,利用税又は売上税
  (b) 関税
  (c) 梱包費及び運送費
  (d) 慣習的な商業割引及び数量値引

製品が,ライセンシーにより使用されるかあるいはライセンシーの関連会社に販売される場合,かかる使用又は販売された製品の正味販売価格は,ライセンシーが,同等の製品を第三者顧客に販売する場合の正味販売価格と同額とする。

第2条　権利の許諾

2-1　ライセンサーは,ライセンシーに対して地域で製品を製造し,販売するためのサブライセンス権なしの独占的実施権を許諾する。

2-2　地域における販売の独占性にもかかわらず,ライセンシーは,本契約で許諾される独占的権利を行使して,ライセンサーが製造した製品を地域内で販売することを排除せず,あるいは排除するよう企図しないことに同意する。

第3条　技術情報とサービス

3-1　ライセンサーは,本契約の発効日後90日以内に,文書の形で技術情報をライセンシーに提供する。ライセンサーにより提供されるすべての図面及び文書は英語で記し,使用される寸法と仕様は,メートル法による。

3-2　ライセンシーの書面による要求があれば,ライセンサーは,製品の設計,製造及び試験についてライセンシーの人員を訓練し,指導するため,[国名]にあるライセンサーの施設に妥当数のライセンシーの人員を受け入れることに同意する。ただし,かかる訓練は,本契約の発効日に始まる最初の1年間では60人日を,また,その後の各1年間では30人日を超えないものとする。ライセンサーの施設への往復の旅費,[国名]に滞在する間の生活費及びこれに関して生じるその他すべての費用は,ライセンシーの負担とする。

3-3 Upon written request of Licensee and, if Licensor considers it necessary, Licensor agrees to dispatch one or more of its competent engineer (s) to Licensee for the term not more than thirty (30) man-days per any one-year period commencing on the Effective Date of this Agreement or on anniversary thereof, to furnish necessary technical advice and guidance in the design, manufacture and test of the Products at Licensee's facilities in [name of country]. Licensee agrees to bear the traveling expenses of Licensor's engineers to and from the facilities of Licensee and living expenses during their stay in [name of country], and also agrees to pay to Licensor the absence fee of [amount] per day per engineer.

Article 4 Supply of Materials and Parts

In the event Licensee desires to purchase any materials or component parts required for the manufacture, assembly, repair or maintenance of the Products, Licensor agrees to supply Licensee at prices and on delivery terms to be agreed upon at that time with such materials or component parts to the extent such may be available, or agrees to assist Licensee in procuring such materials or component parts.

Article 5 Payment, Report and Inspection

5-1 In consideration of the license granted under this Agreement, Licensee agrees to pay to Licensor:

(1) An initial sum of [amount] within thirty (30) days after the Effective Date of this Agreement, and

(2) A royalty at the rate of [   ] percent ([   ]%) of the Net Selling Price of all Products sold or used by Licensee during the term of this Agreement.

5-2 In the event that for the year 2016 or any subsequent year, the amount of royalties payable to Licensor pursuant to above paragraph 5-1 (2) shall be less than [minimum royalty amount], Licensor shall be permitted to convert the license according to Article 2 of this Agreement into a non-exclusive license. Licensee may maintain the exclusiveness of the license by paying to Licensor the difference between the actual amount of royalties payable and the amount of [minimum royalty amount] referred to in this paragraph.

3-3　ライセンシーの書面による要求があり，かつライセンサーが必要とみなす場合，ライセンサーは，[国名]にあるライセンシーの施設で製品の設計，製造及び試験において必要な技術上の助言と指導を行うため，本契約の発効日あるいはその応当日に始まる1年間あたり30人日を超えない期間，1名又はそれ以上の自己の適格な技術者をライセンシーに派遣することに同意する。ライセンシーは，ライセンサーの技術者のライセンシーの施設への往復旅費，及びかかる技術者が[国名]に滞在する間の生活費を負担し，更に技術者1名・1日あたり[金額]のアブセンスフィーをライセンサーに支払うことに同意する。

第4条　材料と部品の供給

ライセンシーが，製品の製造，組立，修理又は補修のために必要な材料又は部品を購入することを希望した場合，ライセンサーは，かかる材料又は部品を入手可能な限り，その時々に合意する価格及び引渡条件でライセンシーに供給するか，あるいは，かかる材料又は部品の調達について，ライセンシーを支援することに同意する。

第5条　支払，報告，監査

5-1　本契約に基づき許諾される実施権の対価として，ライセンシーは，ライセンサーに次の支払いを行うことに同意する。

(1) 本契約の発効日後30日以内に[金額]の一時金，及び

(2) 本契約の期間中にライセンシーが販売又は使用するすべての製品の正味販売価格の[　　]％の率のロイヤルティ

5-2　2016年又はその後の各年に，上記の第5条5-1(2)に従ってライセンサーに支払うべきロイヤルティの金額が，[最低ロイヤルティ保証額]より少ない場合，ライセンサーは，本契約第2条に基づく独占的実施権を非独占的実施権に変更することができる。ライセンシーは，実際に支払われるべきロイヤルティの金額と本条に定める[最低ロイヤルティ保証額]との差額をライセンサーに支払うことにより，実施権の独占性を維持することができる。

5-3 Licensee shall submit to Licensor annually written reports in the English language, duly certified by an authorized representative of Licensee, within sixty (60) days after the end of December of each calendar year during the term of this Agreement and within sixty (60) days after the date of expiration or termination thereof, showing the Products manufactured, sold and used by Licensee during the preceding one (1) year period or applicable portion thereof. In such report, Licensee shall state the types and quantities of the Products manufactured, sold and used, and the royalties due thereon.

5-4 Within ninety (90) days after the end of December of each calendar year during the term of this Agreement and within ninety (90) days after the date of expiration or termination thereof, Licensee shall pay to Licensor the royalties due during the preceding one (1) year period or applicable portion thereof in accordance with the royalty report as set forth in this Article.

5-5 All payments due under this Agreement shall be made by telegraphic transfer in [name of currency] calculated on the basis of the foreign exchange rate adopted by an authorized foreign exchange bank in [name of country] on the day each payment is made and shall be remitted to Licensor's account Licensor may designate from time to time in writing. All bank charges and other expenses incurred by each party in its country in connection with the remittance of the amount due hereunder and the receipt thereof shall be borne by each such party.

5-6 The income tax imposed upon Licensor by the Government of [name of country] with respect to the amounts payable under this Agreement shall be for the account of Licensor and shall be deducted from said due amounts by Licensee on behalf of Licensor at the time of their remittance. Licensee shall send to Licensor a certificate showing the payment of the tax issued by the relevant authorities of the Government of [name of country] with English translation.

5-7 Licensee shall keep true and accurate records, files and books of account containing all the data required for the full computation and verification of the amounts to be paid to Licensor for three (3) years. Licensee shall permit Licensor or its designee to inspect the same for the sole purpose of determining accuracy of the amounts payable by Licensee. Such inspection shall take place at the office of Licensee during normal business hours at Licensor's expense. If an inspection shall reveal an error in excess of five percent (5%) of the amounts accounted for and paid to Licensor, Licensee shall pay all reasonable costs of such inspection in

5-3　ライセンシーは，1年に1度，本契約期間中の各暦年の12月末日から60日以内に，及び本契約期間の満了もしくは終結の日より60日以内に，前1年間又はその該当期間中にライセンシーが製造，販売，使用した製品について記した，英語による報告書を，ライセンシーの授権代表者の認証を付してライセンサーに提出する。かかる報告書において，ライセンシーは，製造，販売，使用した製品のタイプと数量及び支払うべきロイヤルティを記載する。

5-4　ライセンシーは，本契約期間中の各暦年の12月末日から90日以内に，及び本契約期間の満了もしくは終結の日より90日以内に，本条に定めるロイヤルティ報告書に従い，前1年間又はその該当期間分のロイヤルティをライセンサーに支払う。

5-5　本契約に基づくすべての支払は，各々の支払いが行われる日に［国名］の外国為替公認銀行が採用する外国為替レートに基づき計算された［通貨］で行われ，ライセンサーが書面にてその都度指定するライセンサー名義の口座に，電信送金される。本契約に基づき支払われる金額の送金ならびにその受領に関連して，各当事者が自国で被る銀行手数料やその他の費用はすべて，かかる各当事者により負担される。

5-6　本契約に基づき支払われる金額に関して，［国名］政府によりライセンサーに課せられる所得税は，ライセンサーの勘定とし，送金時にライセンシーによって，ライセンサーに代わり，かかる支払金額から差し引かれるものとする。ライセンシーは，［国名］政府の関連機関より発行される税金の支払いを示す証明書を，英語の翻訳を付して，ライセンサーに送付する。

5-7　ライセンシーは，ライセンサーに支払うべき金額の充分な計算と立証のために正当に要求されるすべての真実にして正確な記録，ファイル及び会計帳簿を3年間保持する。ライセンシーは，ライセンサー又はその指名者が，ライセンシーより支払われる金額が正確かどうか決定するため，かかる記録，ファイル及び帳簿を監査することを許可する。かかる監査は，ライセンサーの費用で，通常の業務時間中にライセンシーの事務所で行われる。もし上述の監査で，ライセンサーに報告され支払われた金額の5％を超える誤差が発見された場合，ライセンシーは，未払金額に加えてかかる監査に要したすべての妥当な費用を支払う。

addition to the amounts unpaid.

5-8 If, upon expiration or termination of this Agreement, there are any Products manufactured but not yet sold or used, such Products shall be deemed as sold or used on the day of such expiration or termination, and the royalties thereon as set forth in paragraph 5-1 hereof shall be paid by Licensee to Licensor by telegraphic transfer for all of such Products within ninety (90) days after such expiration or termination hereof. Licensee agrees to submit written reports to Licensor in the like form and manner set forth in paragraph 5-3 hereof within sixty (60) days after such expiration or termination hereof.

Article 6   Observance of Secrecy

Licensee shall keep strictly in confidence any and all information disclosed to it by Licensor under this Agreement and shall use the same exclusively in its own manufacture of the Products .

Article 7   Improvements and Developments

7-1 Licensor agrees that it will notify Licensee of any improvements, developments and inventions, to the extent that Licensor has the right to notify of the same, relating to the Products, whether patentable or not, which it may discover or acquire during the term of this Agreement, and that Licensee may use non-exclusively such improvements, developments and inventions in the design, manufacture, use and sale of the Products, free of any further royalties, charges or payments whatsoever, subject to the terms of this Agreement.

7-2 Licensee agrees that any improvements and developments relating to the Products, whether patentable or not, acquired or otherwise obtained by it during the term of this Agreement shall be disclosed promptly to Licensor, to the extent that Licensee has the right to disclose the same, and that Licensor may use non-exclusively or grant non-exclusive sub-license to other licensee(s) of Licensor to use such improvements and developments free of any payments whatsoever.

5-8　本契約の満了又は終結の時点で製造されてはいるが, いまだ販売もしくは使用されていない製品が存在する場合, かかる製品は, 当該満了日又は終結日を以て販売もしくは使用されたものとみなされ, ライセンシーは, かかる製品のすべてについて本条5-1に規定されるロイヤルティを, 当該満了又は終結より90日以内に, 電信送金にてライセンサーに支払う。ライセンシーは, 当該満了又は終結より60日以内に, 本条5-3に記載の形式及び方法にて, 報告書をライセンサーに提出することにも同意する。

第6条　秘密遵守
　　ライセンシーは, 本契約に従いライセンサーがライセンシーに開示するいかなる形式の情報もすべて, 秘密に取り扱い, 秘密に保持し, またかかる情報を専らライセンシー自身の製品の製造にのみ使用する。

第7条　改良と開発
7-1　ライセンサーは, 特許が成立するしないにかかわらず, 本契約期間中に自己が発見又は取得した製品に関する改良, 開発及び発明を, ライセンサーがそれらを通知する権利を有する範囲において, ライセンシーに通知することに同意し, またライセンシーが本契約の条件に従って, 追加のロイヤルティ, 費用もしくは料金を支払うことなく, 製品の設計, 製造, 使用及び販売において, かかる改良, 開発ならびに発明を非独占的に使用しうることに同意する。

7-2　ライセンシーは, 特許が成立するしないにかかわらず, 本契約期間中に自己が取得もしくはその他入手した製品に関する改良及び開発のすべてを, ライセンシーがそれらを開示する権利を有する範囲において, ライセンサーに速やかに開示することに同意し, また, ライセンサーが, 何らの支払いもなく, かかる改良及び開発を非独占的に使用し, あるいはかかる改良及び開発を使用するための非独占的再実施権をライセンサーの他のライセンシーに許諾しうることに同意する。

Article 8   Warranties and Indemnities

8-1 Licensor makes no representation or warranty that the manufacture, use or sale of the Products under this Agreement will not infringe any patent or other intellectual property rights of any third party, other than to state that to the best of its knowledge and information it knows of no such patent and other intellectual property right which would be so infringed in the Territory. In the event that any infringement action, proceeding or claim of any kind or nature is instituted against Licensee because of Licensee's operations under this Agreement, Licensor agrees, at the request of Licensee and without assuming any financial or legal obligation, to assist Licensee in the defense of such action, proceeding or claim to the best of its ability.

8-2 Licensor hereby warrants that the Technical Information furnished by Licensor to Licensee under this Agreement will be in accordance with the standard employed in its own business, but Licensor shall not be liable to Licensee for any damages arising out of or resulting from anything furnished or made available to Licensee hereunder or the use thereof, and Licensor shall also be fully indemnified from any claim asserted by a third party or parties in connection with the operations of Licensee hereunder.

Article 9   Term and Termination

9-1 This Agreement shall become effective on the Effective Date and shall continue to be effective for ten (10) years from the Effective Date unless earlier terminated as provided elsewhere in this Agreement. This Agreement shall automatically renewed for five (5) year period thereafter, unless either party gives to the other party a notice of termination in writing at least sixty (60) days prior to the expiration of the original term of this Agreement or any renewal period hereof.

9-2 Either party may terminate this Agreement at any time upon notice given to the other party, in writing:
  (1) if such other party commits a material breach of this Agreement which is not effectively remedied by such other party within sixty (60) days after written notice thereof by the other party,
  (2) if such other party is dissolved, liquidated, declared bankrupt or become insolvent or has commenced proceedings relating to bankruptcy or creditor composition or becomes a non-surviving party to a merger or amalgamation, or

第8条　保証

8-1　ライセンサーは，本契約に基づく製品の製造，使用もしくは販売が第三者の特許あるいはその他の知的所有権を侵害しないとの表明又は保証を一切行わず，ただ自己の情報と知識の限りにおいては，このような侵害される特許及びその他の知的所有権は地域には存在しないと表明するのみである。本契約に基づくライセンシーの活動を理由にして，何らかの類又は性質の侵害訴訟，訴訟手続又はクレームがライセンシーに提起された場合，ライセンサーは，ライセンシーの要求があれば，金銭的又は法的義務を負うことなく，自己のなしうる限りで，かかる訴訟，訴訟手続又はクレームの防御についてライセンシーを支援することに同意する。

8-2　ライセンサーは，本契約に基づきライセンシーに提供する技術情報が，ライセンサーの事業活動において使用されている基準に従っているものであることを保証するが，ライセンサーは，本契約に基づきライセンシーに対し提供もしくは利用可能としたもの，あるいはそれらの使用に起因して又は結果として生じる，一切の損害についてライセンシーに責を負わず，本契約に基づくライセンシーの事業活動に関連して第三者が申し立てるいかなるクレームについても免責される。

第9条　期間と終結

9-1　本契約は，発効日に発効し，本契約の規定により早期に終結しない限り，本契約の発効日から10年間有効に存続する。いずれかの当事者が，オリジナルの契約満了日又は更新された期間の満了日の60日前までに他方当事者に対して書面にて終結通知を与えない限り，さらに5年間自動的に更新される。

9-2　いずれの当事者も，以下のいずれかの場合，他方当事者に書面にて以下のことを通知することにより，直ちに本契約を終結することができる。
 (1) 相手方当事者が，重大な契約違反を犯し，他方の当事者により書面にてその旨通知されてから60日以内にかかる違反を是正しなかった場合
 (2) 他方当事者が，解散もしくは清算した場合，破産宣告された場合，支払不能になった場合，破産又は民事再生に関する手続きを開始した場合，あるいは吸収もしくは合併される当事者となった場合

(3) if a material change of control has occurred in such other party.

9-3 The termination of this Agreement shall not relieve or discharge either party from the liability for the payment of any sums then due or the failure to perform any obligations to have been performed under the provisions of this Agreement.

9-4 In the event of termination hereof prior to the expiration of this Agreement by reasons for which Licensee is liable, then Licensee shall return to Licensor the Technical Information furnished hereunder forthwith, and shall not, for a period of five (5) years after the date of such termination, use or make available or cause the others to use or make available the Technical Information, advice and service acquired under this Agreement for any purposes whatsoever including, but not limited to, manufacture, use and sale of the Products.

Article 10   Force Majeure

Neither party shall be liable to the other party for failure or delay in performance of all or part of this Agreement, directly or indirectly, owing to Act of God, government restrictions, war, warlike conditions, fire, riot, strike, flood, accident or any other causes of circumstances beyond either party's control, but nothing herein shall relieve either party from its obligation to pay amounts due hereunder. Provided, however, that if such failure or delay exceeds six (6) months, then either of the parties hereto may negotiate with the other party as to the termination or modification of this Agreement.

Article 11   Observance of Export Control Law

Each party shall observe the laws, orders or regulations relating to the export control of the country of its own and of the other party hereto as well as certain resolutions of the Security Council of the United Nations regarding export controls.

Article 12   Assignment

This Agreement shall inure to the benefit and be binding upon the parties hereto, their successors and assigns. Neither party shall assign or delegate this Agreement or any rights and obligations hereunder to any third party without the prior written consent of the other party. Any assignment or delegation of this Agreement without the prior written consent of the other party shall be null and void, and any

(3) 他方当事者の支配権に重大な変更が生じた場合

9-3　本契約の終結は，終結の時点において支払うべき金額の支払義務あるいは本契約の規定に基づき履行すべきであった義務の不履行から，いずれの当事者も免除もしくは免責するものではない。

9-4　ライセンシーが責を負う理由で本契約がその満了前に終結した場合，ライセンシーは，本契約に基づき提供された技術情報を直ちにライセンサーに返却し，かかる終結の日から5年間，製品の製造，使用，販売を含め，それらに限定されないいかなる目的にも，本契約に基づき入手した技術情報，助言及びサービスを自らあるいは他者を使って使用あるいは利用可能にしてはならない。

第10条　不可抗力

いずれの当事者も，天変地異，政府の規制，戦争，戦争状態，火災，暴動，ストライキ，洪水，偶発事故又は当事者の支配を越えたその他の状況を直接もしくは間接の理由とする，本契約の全部又は一部の不履行あるいは履行遅延につき，他方の当事者に責を負わないものとする。ただし，本条の不可抗力の場合といえども，いずれの当事者も，本契約に基づき支払うべき金額の支払い義務から免除されないものとする。かかる不履行もしくは履行遅延が6ヵ月を越える場合には，本契約のいずれの当事者も，本契約の終結又は修正について他方の当事者と交渉することができる。

第11条　輸出管理法の遵守

各当事者は，自国及び他方当事者の国の輸出管理に関する法律，命令又は規則，ならびに輸出管理に関する一定の国連安全保障理事会決議を遵守する。

第12条　譲渡

本契約は，本契約当事者及びその承継者ならびに譲受人の利益のために効力を生じ，かつこれらを拘束する。いずれの当事者も，他方の当事者の書面による事前の同意なく，本契約又は本契約に基づく権利と義務を，いかなる第三者へも譲渡もしくは移転してはならない。他方当事者の書面による事前の同意なき本契約のいかなる譲渡もしくは移転は無効であり，且つかかる企ては本契約の重大な違

attempt thereof shall be regarded as a material breach of this Agreement.

Article 13   Notices

All notices and reports required under this Agreement shall be in writing in English, and shall for all purposes be deemed to be fully given and received if dispatched by registered and postage prepaid airmail, cablegram or facsimile followed by a confirmation letter by a registered airmail, to the respective parties at the addresses hereinabove set forth, or at such other address or addresses as either party may later specify by written notice to the other.

Article 14   Arbitration

Any disputes, controversies or differences which may arise out of or in relation to this Agreement shall be settled amicably between the parties. But in case it fails, they shall be finally settled by arbitration at the place of the defendant in accordance with the rules then obtaining of the International Chambers of Commerce and by the arbitrators to be appointed according to the said rules. The award in the said arbitration shall be final and binding upon the parties hereto.

Article 15   Entire Agreement

This Agreement contains the entire agreement between the parties hereto with respect to any and all subject matters covered herein and supersedes and cancels all previous agreements, negotiations, commitments and writings relating thereto. Any modification or amendment to this Agreement shall be valid and effective only if reduced to writing and signed by a duly authorized representative of each of the parties hereto.

Article 16   No Waiver

A waiver by either party hereto of any particular provision hereof will not be deemed to constitute a waiver in the future of the same or any other provision of this Agreement.

反とみなす。

第13条　通知
　本契約に基づき要求されるすべての通知と報告は，英語による書面で行われ，すべての目的上，本書冒頭に記載の住所あるいはその後に一方の当事者が他方の当事者への書面通知で指定するその他の住所の各々の当事者に宛て，郵便料前払いの書留航空郵便，あるいは後日に書留航空郵便による確認を伴う電報あるいはファクシミリで発送されれば，十分に通知が行われ，かつ受領されたとみなされるものとする。

第14条　仲裁
　本契約もしくはその違反に関連して本契約の両当事者間に発生するすべての紛争，論争あるいは意見の相違は，当事者間で友好的に解決されるものとする。ただし，解決に失敗した場合，それらは被申立人の地にて，国際商業会議所のその時得られる規則に従い，当該規則に基づき指名された仲裁人によって，仲裁で最終的に解決されるものとする。かかる仲裁における仲裁判断は最終的なものであり，両当事者を拘束する。

第15条　完全契約
　本契約は，本契約の主題に関する両当事者間のすべての合意を包含し，かかる主題に関する従前の合意，交渉，言質及び文書の一切に取って代わり，かつそれらを取り消すものである。本契約の修正もしくは改訂は，文書の形にされ，正式な権限を有する各当事者の代表者により署名された場合にのみ，有効なものとする。

第16条　非放棄
　いずれかの当事者による本契約のいずれかの規定の放棄は，当該規定又はその他の規定の将来における放棄を構成するとはみなされない。

Article 17　Severability

Should any provision of this Agreement be declared or deemed to be illegal or invalid by any court or administrative body of competent jurisdiction, then such provision shall be given no effect and shall be deemed not to be included within the terms of this Agreement, but without invalidating any of the remaining terms of this Agreement. The parties hereto shall then make efforts to replace the illegal or invalid provision by an economically equivalent provision if advisable and legal.

Article 18　Governing Law and Language

18-1　The validity, construction and performance of this Agreement shall be governed by and interpreted in accordance with the laws of [name of country or state].

18-2　This Agreement shall be executed in duplicate original in the English language only which shall govern its interpretation and construction in all respects. No translation of this Agreement into any other language, if any, shall have any legal force or effect whatsoever.

IN WITNESS WHEREOF, the parties hereto have caused this Agreement to be executed in duplicate by their duly authorized representative.

Licensor Corporation　　　　　　Licensee Corporation

By : _____　　　　By : _____
Name : _____　　　　Name : _____
Title : _____　　　　Title : _____
Date : _____　　　　Date : _____

第17条　分離性

　本契約のいずれかの規定が，管轄権を有する裁判所又は行政機関により違法もしくは無効と宣告あるいは判断された場合，当該規定は無効とし，本契約の条件には含まれないとみなすものとするが，本契約のその他の条件を無効とすることはない。本契約当事者は，かかる場合，違法又は無効となった規定を，もし妥当かつ合法的ならば，経済的に同等な規定に置き換えるよう努力する。

第18条　準拠法と言語

18-1　本契約の効力，解釈ならびに履行は，[国名，州名]の法律に準拠し，解釈される。

18-2　本契約は，英語で正本2通作成され，これがすべての面において本契約の解釈を支配するものとする。本契約の他の言語への翻訳版が存在したとしても，それらは，何ら法的な効力も効果も有しない。

　本契約の証として，本契約当事者は，正式な権限を有する代表者をして本書2通に署名せしめた。

ライセンサー・コーポレーション　　　　ライセンシー・コーポレーション

氏名：＿＿＿＿＿＿＿＿＿　　　　　　　氏名：＿＿＿＿＿＿＿＿＿
役職：＿＿＿＿＿＿＿＿＿　　　　　　　役職：＿＿＿＿＿＿＿＿＿
日付：＿＿＿＿＿＿＿＿＿　　　　　　　日付：＿＿＿＿＿＿＿＿＿

第7章
製造ライセンス契約

(7-1 国内製造ライセンス契約)
飯田 浩司● *Hiroshi Iida*

(7-2 国際製造ライセンス契約)
吉川 達夫● *Tatsuo Yoshikawa*

7-1 国内製造ライセンス契約

1 ビジネスモデル

1.1 概要

　前章の製造販売ライセンス契約が製造・販売を共にライセンスする契約であったのに対し，ここでは製造のみをライセンスする契約を取り上げてみたい。その典型は，製造委託契約であり，ある企業（委託者）が他の企業（受託者）に対して，製品の一部又は全部の製造を委託するための契約である。製造委託を表すものとしては，外注あるいは外製という言葉が用いられることもある。

　業務の外部委託ということでさらに広く捉えると，アウトソーシング（outsourcing）やEMS（Electronics Manufacturing Service）と呼ばれるものも含まれることになるが，これらは単に製造のみならず，間接業務や全業務の外部委託を伴うものと考えられるので，ここでは対象としない。

　製造委託は，通常，次頁の図1のようなビジネスモデルの中で位置づけられる。

　委託者は，製品の仕様・納期等を指定して発注し，受託者はこの発注内容に従って製品や部品を製造し，これを納入する。これに対して委託者は，代金を支払うことになる。製品については，委託者がこれを完成品として顧客に販売することになる。この①から③の部分が製造委託ということになる。

　製造委託は，国内の企業間で行われる場合と国内と海外の企業間で行わ

れる場合があるが, 本章では, 国内の企業間の製造委託を中心に論じる。

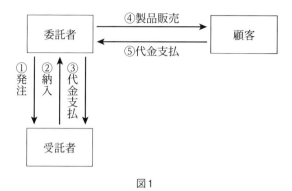

図1

1.2 製造委託が利用される場合

製造委託が実施される主要な目的には, 以下のようなものがある。

- 製造原価の削減

 固定費を中心とするコストを下げることにより, 製造原価の削減を図ることができる。1980年代以降においては, 製造原価のより一層の削減のために, 東南アジアや中国等の海外の製造業者に製造を委託する動きも進んだ。

- 生産能力の補充

 ある製品の売行きが好調になった場合, 製造設備や人員の点から, 生産能力が追いつかないということが考えられる。このような場合, 余力のある製造業者に製造委託を行うことによって, 生産能力の補充を行うことができる。また, 売行きが低迷した場合は, このような製造委託を終了させることで, 生産能力の調整を図ることができる。

- 専門技術, 特殊技術の活用

 製品によっては, 他の製造業者がより高い技術力や特殊な技術力を有している場合もあり, この場合, これらの製造業者に製造を委託することによって, 当該製品の製造が可能となる。とりわけ, 自らのこれまでの専門領域に属さない製品を新たに販売するような場合は, これまでに同種の製品分野での経験を有して製造業者の協力が必要となることが少なくないだろう。

1.3 製造委託の種類

　一口に製造委託といっても,具体的な内容に着目すると,さまざまなものがある。

　たとえば,製品の完成度から分類すると①製品そのもの全体の製造を委託するもの,②ユニットなどある機能を持つ単位の製造を委託するもの,③完成品の一部分の製造を委託するものなどに分けることができる。また,分業形態に着目すると,下請やOEMなどに分けることができる。

　「下請」という言葉は時代や場面によってそれぞれ異なった捉え方をされており,一義的に定義することは容易ではない。製造委託に関して,下請代金支払遅延等防止法(いわゆる下請法)の規定によるならば,規模の大きい事業者(親事業者)がより規模の小さい事業者(下請事業者)に対して,本来親事業者が行うべき製造を委託する場合が下請にあたると考えられる。このような下請としての製造委託に関しては,下請法の要件に該当した場合は,同法による制限を受けることに注意を要する。この点については,後述する。

　「OEM」はOriginal Equipment Manufacturingの略であり,製造業者が,納入先である依頼業者の発注を受け,依頼業者のブランド(商標)を付した製品を製造・供給することをいう。依頼業者側から見れば,製品の製造をすべて他社に委託し,自社のブランドを付けた状態で供給を受けることになる。このようなOEMが成功するためには,販売を行う依頼業者にブランド力があり,かつ,受託者である製造業者が高い製造・開発技術を有していることが必要となる。

1.4 製造委託契約の法的性質

　製造委託に関する契約は,実務上は,「製造委託契約書」「製造ライセンス契約書」「製造物供給契約書」「OEM契約書」「下請契約書」「請負契約書」「売買契約書」など,さまざまな表題が付されている。このような表題は,必ずしも契約の性質を端的に表していないことが少なくない。たとえば,製造委託における,委託者から受託者への原材料の供給,受託者による製造物の委託者への納入について,それぞれ別個の売買契約書を締結することで済ませるよ

うな場合も少なくない。したがって、製造委託契約にあたるか否かについては、内容を吟味して判断することが必要である。

製造委託契約は、民法上の典型契約に照らして考えた場合、概ね①請負契約、②売買契約、③両者の混合契約（製造物供給契約）などに分類することができる。請負契約は、「当事者の一方がある仕事を完成することを約し、相手方がその仕事の結果に対してその報酬を支払うことを約する」契約である（民法632条）。売買契約は、「当事者の一方がある財産権を相手方に移転することを約し、相手方がこれに対してその代金を払うことを約する」契約である（民法555条）。

委託者が主要な原材料や製造に必要となる技術を提供し、具体的な仕様を指示して行う製造委託は、請負契約として捉えられるべき場合が少なくないであろうし、また、製造業者が開発・製造した製品をOEM製品として、委託業者が納入を受ける場合は、売買契約として捉えられるべき場合が少なくないであろう。しかし、実際の契約は、さまざまな条項によって複雑な構成となっているので、請負、売買と単純に二分するよりも、それら双方の条文を契約の具体的な内容を斟酌しながら、検討していくのが現実的であろうと思われる。さらに言うならば、後述するようにできるだけ民法等の任意法規に頼ることなく、具体的な事象ごとの解決策を契約書の中に盛り込んでおくことが大切であろう。

2　リスク分析

2.1　販売リスク

製造・販売ライセンス契約の場合と同様、最終製品の販売についての事前のFeasible Studyを十分に行っておくことが重要となる。市場のニーズに応じて、製造を委託する製品の規格・性能・形状・デザイン等を決定する必要がある。

2.2 製造リスク

2.2.1 製品の品質についてのリスク

　質の高い技術力や品質管理力を有する製造業者を受託者として選定することがまず重要となるので,事前に十分な調査を行う必要がある。ISO9001の認証取得の有無も選定基準として考慮すべきであろう。

　技術や品質管理に問題がある製造業者を選定してしまうと,顧客から品質に関するクレーム(返品・交換・修理の要求や損害賠償請求),さらにはPL訴訟などを受けることになりかねない。

2.2.2 製品の安定供給についてのリスク

　受託者となる製造業者が安定した製造を継続して行えるかどうかも重要となる。当初から予定されている委託製造に対応できなくなってしまったのでは,製品の販売に支障が生じる。経営状態の安定した製造業者を受託者として選定することが重要である。さらに,委託者としては,製品に対する需要の増減に応じて,製造量の調整を臨機応変にできるような製造業者を選択することが望ましい。そうでないと,生産過剰や,反対に生産が追いつかないという事態になりかねない。

　受託者による製造の継続が困難になったり,十分な量の製造ができないというような事態に備え,複数の受託者に製造を委託するか,そういった事態に用いることができる製造業者の当たりをつけておく必要がある。

　また,安定した製造を可能とするため,原材料の供給源の確保も重要となる。単独の供給源だけでなく,その供給源から原材料が得られなくなった場合,あるいは価格が高騰した場合等に備え,セカンドソースを確保しておくことが望ましい。

2.3 技術リスク

　委託者から受託者,あるいは受託者から委託者へ提供される企業秘密やノウハウが相手方に無断で目的外に使用されたり,盗用されたりすることがないよう,配慮することが重要である。

　また,第三者からライセンスを受けている技術を用いる場合は,サブライセ

ンスを禁止する条項に違反したり, 使用目的の制限に関する条項に違反したりすることがないように注意する必要がある。

2.4 その他のリスク

契約の法的性質を「請負」と捉えるか, あるいは「売買」と捉えるかによって, 所有権の移転, 危険負担, 瑕疵担保等についての法律関係が異なってくるので, 後日争いが生じないよう, 契約にできるだけ明確かつ具体的な条項を盛り込んでおくことが望ましい。

また, 契約締結や取引にあたっては, 下請法, 独占禁止法などの強行法規に違反しないように配慮する必要がある。取引を打ち切る際に受託者から補償金の請求を受けることになったり, 取引を一方的に突然打ち切るような場合は, 独占禁止法違反となるおそれもある。

3　関連する法律・許認可など

3.1　民法, 商法

まず,「契約」という点では, 民法の総則, 債権に関する規定, 商法の商行為に関する規定などを基本として法律関係を処理することになる。もっとも, 民法や商法の規定は任意法規であるものが少なくないので, これらの任意法規で規定された事柄について契約でこれと異なる定めをした場合は, この契約の規定が優先することになる。

3.2　知的財産権法

製造を委託するにあたって, 製品や製造に関する特許, ノウハウ等の使用を開示することになり, これをもとにした改良発明等が生じる場合がある。OEM取引に関しては商標の使用が鍵となったり, 納入された製品が第三者の知的財産権を侵害しているとクレームを受ける場合もありうる。したがって, 特許法, 意匠法, 商標法, 不正競争防止法などの知的財産権に関する法律についての知識も不可欠となる。

3.3　独占禁止法（「私的独占の禁止及び公正取引の確保に関する法律」）

市場における有力な事業者が，競争者を市場から排除するなどの不当な目的を達成するための手段として以下のような行為を行い，これによって取引を拒絶される事業者の通常の事業活動が困難となるおそれがある場合には，当該行為は「不公正な取引方法」に該当し，違法となると考えられる。

- 市場における有力な原材料製造業者が，自己の供給する原材料の一部の品種を取引先完成品製造業者が自ら製造することを阻止するため，当該完成品製造業者に対して従来供給していた主要な原材料の供給を停止すること
- 市場における有力な原材料製造業者が，自己の供給する原材料を用いて完成品を製造する自己と密接な関係にある事業者の競争者を当該完成品の市場から排除するために，当該競争者に対して従来供給していた原材料の供給を停止すること

また，市場における有力な事業者が，取引先事業者に対して自己又は自己と密接な関係にある事業者の競争者と取引しないよう拘束する条件をつけて取引する行為，又は取引先事業者に自己又は自己と密接な関係にある事業者の競争者との取引を拒絶させる行為を行い，これによって競争者の取引の機会が減少し，他に代わりうる取引先を容易に見い出すことができなくおそれがある場合も，当該行為は「不公正な取引方法」に該当し，違法となると考えられる。

3.4　下請法（「下請代金支払遅延等防止法」）

製造委託などで一定の要件に該当するものについては，下請法の適用がある。同法は，親事業者がその優越的な地位を利用して，下請事業者に不利な行為を行うことを規制し，下請取引の適正化を図っている（1条参照）。同法は，製造委託を「事業者が業として行う販売若しくは業として請け負う製造（加工を含む。以下同じ。）の目的物たる物品若しくはその半製品，部品，附属品若しくは原材料若しくはこれらの製造に用いる金型又は業として行う物品の修理に必要な部品若しくは原材料の製造を他の事業者に委託すること及び事業

者がその使用し又は消費する物品の製造を業として行う場合にその物品若しくはその半製品,部品,附属品若しくは原材料又はこれらの製造に用いる金型の製造を他の事業者に委託すること」と定義している(2条1項)。

　これらの製造委託のうち,本法が適用されるのは,委託者と受託者が「親事業者」「下請事業者」の関係にある場合であるが,具体的には,以下の場合にそのような「親事業者」「下請事業者」の関係が存在することになる(2条7項・8項)。

- 資本金(又は出資金)が3億円を超える法人が,個人又は資本金(又は出資金)3億円以下の法人に対して製造委託する場合
- 資本金(又は出資金)が1千万円を超え3億円以下の法人が,個人又は資本金(又は出資金)1千万円以下の法人に対して製造委託する場合

親事業者		下請事業者
資本金3億円超	製造委託→	資本金3億円以下(個人を含む)
資本金1千万円超3億円以下		資本金1千万円以下(個人を含む)

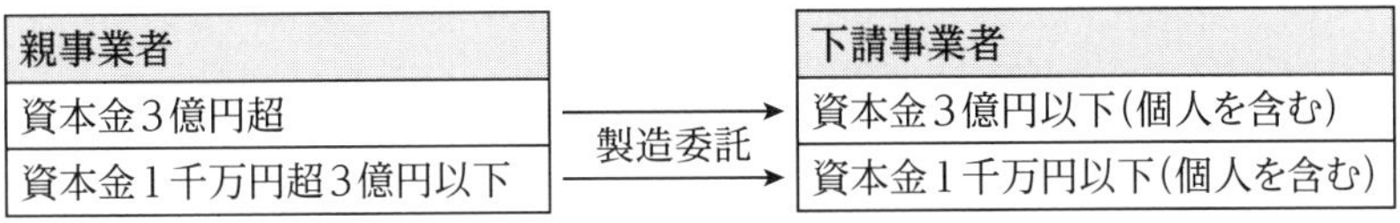

図2

　下請法は,親事業者に以下の四つの義務を課している。

(1) 注文書の交付義務(3条,下請代金支払遅延等防止法第3条の書面の記載事項等に関する規則1条)

　口頭発注によるトラブルを防ぐために,以下の事項を記載した発注書面を下請事業者に交付する必要がある。

- 親事業者及び下請事業者の名称
- 製造委託をした日
- 下請事業者の給付の内容
- 下請事業者の給付を受領する期日と場所
- 下請事業者の給付の内容について検査をする場合は,その検査を完了する期日
- 下請代金の額と支払期日
- 手形を交付する場合は,その手形の金額と満期日
- 一括決済方式で支払う場合は,金融機関名,貸付け又は支払可能額,親

事業者が下請代金債権相当額又は下請代金債務相当額を金融機関へ支払う期日
- 電子記録債権で支払う場合は，電子記録債権の額及び電子記録債権の満期日
- 原材料等を有償支給する場合は，その品名，数量，対価，引渡しの期日，決済期日及び決済方法

なお，この義務に違反した場合は，50万円以下の罰金に処せられる(10条)。

(2) 書類作成・保存義務（5条，下請代金支払遅延防止法第5条の書類又は電磁的な記録の作成及び保存に関する規則）

製造委託をしたときは，給付内容，下請代金の金額など，取引に関する記録を書類又は電磁的記録を作成し，2年間保存しなければならない。

なお，この義務に違反した場合は，50万円以下の罰金に処せられる(10条)。

(3) 下請代金の支払期日決定義務（2条の2）

親事業者は，下請事業者の給付を受領した日から起算して60日の期間内で，できるだけ短い期間になるように下請代金の支払期日を定めなければならない。

(4) 遅延利息支払義務（4条の2，下請代金支払遅延等防止法第4条の2の規定による遅延利息の率を定める規則）

支払期日までに下請代金を支払わなかった場合，下請事業者に対し，給付を受領した日から起算して60日を経過した日から，支払いをする日までの期間について，その日数に応じて，年率14.6％の遅延利息を支払わななければならない。

さらに，親事業者は，以下の行為を行うことを禁じられている(4条)。

① 受領拒否
② 下請代金の支払遅延
③ 下請代金の減額
④ 不当返品
⑤ 買いたたき
⑥ 物の購入強制・役務の利用強制
⑦ 報復措置

⑧　有償支給原材料等の対価の早期決済
⑨　割引困難な手形の交付
⑩　経済上の利益の提供要求
⑪　不当な給付内容の変更，やり直し

　なお，⑧以下の行為は，これによって下請事業者の利益が不当に害されたときに限って違法とされる。

　下請法の違反行為については，上記のように，同法3条の注文書の交付義務や同法5条の書類作成・保存義務に違反した場合，報告拒否・虚偽報告，立入検査の拒否等の場合は，罰金刑の対象になるほか，それ以外の違反についても，勧告（7条）や警告を受けることになる。

3.5　下請中小企業振興法

　下請企業の振興を図るための法律であり，①経済産業大臣による，下請中小企業の振興を図るため親事業者と下請事業者が目指すべきガイドラインとしての「振興基準」の作成，②振興基準の内容を具体的に下請事業者で組織する事業協同組合等が中心となって実施する「振興事業計画制度」の導入，③特定の親事業者への依存の状態の改善を図るための「特定下請連携事業計画制度」の導入，④下請取引のあっせんや苦情紛争の処理等を行う下請企業振興協会の充実・強化について定めている。

3.6　対象製品についての規制法，業法

　対象製品の規格や製造，販売に関して，当該事業分野や製品を規制する業法（電気用品安全法，産業標準化法，薬機法（「医薬品，医療機器等の品質，有効性及び安全性の確保等に関する法律」）等）にも留意する必要がある。許認可が要求されている場合は，当然これを取得する必要がある。

3.7　環境法

　製造にあたっては，大気汚染防止法，水質汚濁防止法，悪臭防止法，騒音規制法，振動規制法，廃棄物処理法などの環境法にも配慮する必要がある。

4 契約書チェックポイント

☞モデル契約書7-1-1

まずは国内のメーカーが他の製造業者の製造委託を行うための製造委託契約（請負型）を題材として取り上げ、主要なポイントについて解説する。

- **目的（第1条）**

  2020年4月に施行された改正民法（以下「改正民法」）の下では、債務不履行の帰責事由の有無や契約不適合の有無の判断などの際に契約の目的が考慮されると考えられるので、各当事者の役割、委託製造される目的物の用途などを踏まえた目的が記載されることが望ましい。

- **委託製造（第2条）**

  業務委託契約の主要な要素である製品の製造の委託とその引受けについての合意が成立していることを明記している。

- **本契約及び個別契約（第3条）**

  製造委託契約には、1回限りの製造委託取引を扱う①スポット型の製造委託契約と、一定の期間に数回の同種の製造委託取引が行われる場合に、それらの取引に共通に適用される規定をまとめた②基本契約型の製造委託契約とがある。ここでは、そのうち、後者の基本契約型の製造委託契約を取り上げている。具体的な個々の製造委託契約は、個別契約として位置づけられ、この個別契約では具体的な品名、使用、数量、代金等、それぞれの取引に特有の事項が記載されることになる。

  前述のように、下請法の適用がある場合、親事業者は製造委託取引の内容について一定の事項を書面で下請事業者に交付しなければならない（同法3条1項）。個別契約の記載事項は、これを意識したものになっている。

  仕様は目的物特定の重要なポイントであり、これが不明確だと、委託者が期待したような品質や性能を備えた製品とならない可能性もあり、受入検査の際のトラブルや契約不適合責任をめぐってのトラブルに発展するおそれがあるので、注意を要する。

- **個別契約の成立（第4条）**

  一般的に、契約は申込みと承諾の意思表示が合致すれば成立し、ここではその原則を受けた規定になっている。もっとも、民法527条、商法509条

2項は，承諾についての具体的な意思表示が存在しなくても契約が成立する場合を規定しているし，実務上，承諾についての具体的な意思表示をせずに取引が進む場合が少なくない。ここでは，承諾したとみなされる場合を条項上に明示した。

また，委託者からの申込み（注文）に対して，受託者がこれを理由のいかんを問わず拒絶できるということになってしまうと安定した製造委託が行えなくなってしまう。よって，申込みを拒絶できる場合を，たとえば「合理的な事由により，受託者が当該注文に対応し得ない場合」のように，明記するのもよい。

さらに，一旦成立した個別契約を変更しなければいけない事態が生じた場合の変更の手続やその場合の損害の負担についても明らかにしておくのが望ましい。

- **発注計画（第5条）**

  受託者が事前に適切な投資や人員配置をすることによって，安定的な製造ができるよう，可能な限りこのような将来の発注予測を委託者から受託者に提供しておくことが望ましい。

- **原材料等（第6条）**

  原材料等を誰からどのように調達するかについては，受託者が自由に決定できるのが原則である。下請法上，委託者が自己の指定する物を強制して購入させることができるのは，下請事業者の給付の内容を均質にし，又はその改善を図るため必要がある場合その他正当な理由がある場合に限られている。

  原材料等について委託者が指定したものを購入，使用する場合は，協議の上，具体的な条件を定める必要がある。これについては，原材料等に関する支給契約（売買契約）を別途締結することが望ましい。

- **金型等の貸与（第7条）**

  金型や治工具についても，受託者が自由に決定できるのが原則である。もし，委託者が指定したものを購入したり貸与を受ける場合は，協議の上，具体的な条件を定める必要がある。これらの条件については契約中に盛り込む場合もあるが，できれば，当該金型等についての支給契約（売買契約）

や貸与契約（賃貸借契約）を別途締結することが望ましい。製造委託契約の終了時に金型等についての帰属が争いとなることが少なくないので, 所有権の帰属について, これらの契約で明確にしておく必要がある。

- 技術指導（第8条）

  委託者が当該製品の製造についてこれまでに培ってきた技術, ノウハウを有している場合は, このような技術指導を行う場合が少なくない。これについても, 協議の上, 具体的な条件を定め, 契約を別途締結することが望ましい。

- 納入（第9条）

  納期が守られることは委託者にとって重要であるので, 決められた納期以外に納入される場合の取り決めを記載する必要がある。

- 引渡し, 受入検査（第10条）

  納入された製品が委託内容に適合する製品であるかどうかを確認する重要なプロセスであり, それぞれの当事者の主観的な判断をできるだけ排除するために, その基準や方法をあらかじめ明確にしておくことが大切である。また, この受入検査に加え, 出荷前に受託者自身による出荷検査についての定めを置くこともある。

- 所有権及び危険負担（第11条）

  所有権の移転, 危険負担の移転について, 契約で具体的な時期を決めておく必要がある。モデル契約書では, 所有権の移転については受入検査合格時, 危険負担の移転について納入時としているが, 両者同じタイミングにすることも可能であるし, また, 受領証の交付時, 代金の支払時などのタイミングにすることも可能である。

- 支払（第12条）

  モデル契約書では, 毎月締め日を設けて, それまでになされた引渡しがなされた取引についてまとめて支払いを行うこととしている。個別の取引ごとに引渡日から一定期間内に支払うように取り決めることも可能である。

  下請法による支払遅延の禁止との関係では, 同法に規定する60日間の起算点が, 引渡しの日ではなく, 納入日であることに注意する必要がある。

- 品質保証（第13条）

引き渡された製品の品質保証，契約不適合に関する規定であり，保証内容，保証期間，補償の方法等を明らかにしておく必要がある。

契約不適合の場合の救済手段として，改正民法では，追完請求権（法562条），代金減額請求権（法563条），損害賠償請求権（法564条，415条），解除権（法564条，542条）を認めているが（請負契約についても法559条によってこれらの規定が準用される），法律に規定されたそれぞれの要件や条件を委託者，受託者のそれぞれの立場から妥当かどうか検討し，それぞれの当事者に望ましい条項を作成する必要がある。

また，改正民法では，この契約不適合責任は，不適合を知った時から1年以内に通知しなければ権利行使することをできないこととされており（法637条），これについても委託者，受託者のそれぞれの立場から妥当かどうか検討し，それぞれの当事者に望ましい条項を作成する必要がある。

- 製造物責任等（第14条）

製品の欠陥が原因で製造物責任問題が生じた場合の求償を規定している。製造物責任に基づく損害賠償は金額的にも高額になることが少なくないので，あらかじめ保険に加入しておくなどの対応が必要である。この保険金の負担についても，契約書に明記しておくことが望ましい。

- 秘密保持等（第15条）

製造委託を行う場合，製品や製造についてのノウハウ，顧客ニーズ，生産計画などの企業秘密を受託者に開示することが必要となり，これらの企業秘密が第三者の手に渡ったり，受託者が目的外に使用したりしないように秘密保持義務を設けておくことが重要である。

モデル契約書では両当事者が秘密保持義務を負うこととしているが，受託者側から委託者側に開示される秘密情報がない場合は，受託者側のみが秘密保持義務を負うこととしてもよい。

また，情報の複製を制限したり，保管方法を限定するなどの具体的な施策を明記することもある。

- 知的財産権（第16条）

製造委託を行う場合，製品や製造についての技術情報の提供を行うこと

が必要となるが，これらに関する知的財産権が委託者に帰属していることを明確にしている。

製造の過程で改良技術等が開発される場合もあるので，これらの帰属や使用についてもあらかじめ取り決めておく必要がある。

また，第三者から知的財産権を侵害しているとのクレームや訴訟を受けた場合の対応についても取り決めておく必要がある。

● 競業避止（第17条）

委託者のための製品の製造のために提供した情報が流用されることを避けるためにも，受託者に競業避止義務を課すことが少なくない。もっとも，受託者が元来同種の製品を製造してきている場合やOEMベンダーとして同種あるいは同一の製品の製造をしている場合のように，競業避止を設けることが適切でない場合もあろう。

● 再委託（第18条）

委託者にとっては，再委託を無制限に認めてしまうと，現実の秘密情報の保護が困難になるなどのリスクがある。一方，受託者としては，生産量の調整や分業による効率化を進める観点から再委託を禁止されると不都合が生じうる。モデル契約書では，委託者側の許諾と受託者が再委託についての全責任を負う事を条件として，再委託を認めるスタンスをとっている。

● 権利・義務の譲渡（第19条）

権利・義務の譲渡についても，相手方の承諾を条件としている。

● 解除（第20条）

催告解除が認められる場合と無催告解除（即時解除）が認められる場合を明記している。モデル契約書では，契約条項違反については催告解除としているが，改正民法では債務不履行が契約及び取引上の社会通念に照らして軽微であるときは解除できない旨規定しているので（法541条ただし書），被解除者からそのような主張がなされることを避けたいという場合は，この規定を排除する旨を定めておく必要がある。

国内でもM&Aが活発に活用されるようになってきており，合併や買収によって，自社の重要な企業秘密や権益が競業会社等に渡ってしまうおそれもある。本例では，そのような場合の即時解除を可能としている。

- 通知義務（第21条）

  取引に重要な影響のある事項について，両当事者に通知義務を課している。

- 有効期間（第22条）

  契約期間の更新については，モデル契約書のように特に反対のない限り自動更新することとする場合と，特に更新するとしない限り終結することとする場合がある。当該取引相手との関係，取引の性質等に応じて決定することになるが，いずれを選択するにしても，契約が有効に存続しているか否かについての継続的な管理を怠らないことが重要である。

- 残存義務（第23条）

  契約終結後もその性質上，存続させるべき条項を列挙している。秘密保持義務については，契約終結後何年間存続するかを明記することも多い。

- 合意管轄（第24条）

  モデル契約書では，東京地方裁判所を第一審の専属的管轄裁判所としているが，訴えられる側の企業の本店所在地にある地方裁判所を専属的管轄裁判所とすることも少なくない。

- 協議条項（第25条）

  モデル契約書では，一般的な国内契約の例にならって訓示的な誠実協議条項を盛り込んだ。この精神をより具体的にするために，紛争解決の場合の具体的な協議のプロセス（言い換えれば，訴訟による解決までにどのようなステップを踏むべきか）を紛争処理規定として盛り込む場合もある。

【参考文献】

川越憲治『下請取引の法務』(商事法務, 2004年)
中島茂『企業提携の契約事例[新訂版]』(商事法務研究会, 1992年)
会社契約実務研究会編『最新モデル会社契約作成マニュアル』(新日本法規, 2002年)
菅間正二『入門外注管理』(かんき出版, 2002年)
松下電工株式会社法務部編『研究・製造・販売部門の法務リスク』(中央経済社, 2005年)
石井逸朗『契約書の書式分例77』(同文舘出版, 2004年)
長谷川卓也, 板橋喜彦『会社業務各種契約書のつくり方[新版増補]』(清文社, 2009年)
遠藤元一『債権法改正契約条項見直しの着眼点』(中央経済社, 2018年)
横張清威, 伊勢田篤史, 和田雄太『改正民法と新収益認識基準に基づく契約書作成・見直しの実務』(日本法令, 2018年)
公正取引委員会・中小企業庁「ポイント解説　下請法」(https://www.jftc.go.jp/houdou/panfu.files/pointkaisetsu.pdf)
中小企業庁ウェブサイト(http://www.chusho.meti.go.jp)
中小企業基盤整備機構・中小企業ビジネス支援ポータルサイト(https://j-net21.smrj.go.jp/)

製造委託契約書

○○○○株式会社（以下委託者という）と△△△△株式会社（以下受託者という）は，製造委託に関して，次のとおり製造基本契約（以下本契約という）を締結する。

第1条　目的
本契約は，委託者が企画し，販売する製品の製造を受託者に委託し，受託者が善良なる管理者の注意を持ってこれを製造し，委託者に供給するための基本的条件を定めることを目的とする。

第2条　製造委託
委託者は，受託者に対して，本契約の附属書に記載された製品（以下本製品）の製造を委託し，受託者はこれを受託する。

第3条　本契約及び個別契約
1　本契約は，両当事者間の製造委託に関する基本的事項を定めたものであり，個別契約に対して適用されるものとし，両当事者は，本契約及び個別契約を遵守するものとする。
2　個別契約には，発注年月日，品名，仕様，数量，納期，納入場所，検査その他の納入条件，代金の額，単価，支払日，支払方法等を，また，原材料等を支給する場合には，その品名，数量，引渡日，引渡場所その他の引渡条件，代金の額，支払日，支払方法等を定めなければならない。

第4条　個別契約の成立
1　個別契約は，委託者が前条の契約内容を記載した注文書を受託者に交付し，受託者がこれを承諾することにより成立する。
2　受託者は，委託者から前項の注文書を受領後7日以内に，ファックス又はその他の文書によって，当該注文を承諾するか否かを委託者に対して通知するものとする。
3　受託者が注文書の受領後7日以内に前項による通知を行わない場合は，受託者が当該注文書を承諾したものとみなす。

第5条　発注計画
委託者は，四半期ごとに当該期間の開始の少なくとも30日前までに，受託者に対して，発注計画書を提出するものとする。この発注計画書は，受託者の生産計画策

定の便宜を図るために提出されるものであり,当事者を拘束するものではない。

第6条　原材料等
1　受託者は,必要な原材料及び部品等を自ら調達するものとする。
2　前項の規定にかかわらず,委託者は,必要に応じて,両当事者協議の上,受託者が使用する原材料及び部品等の支給材(以下支給材という)を有償又は無償で委託者に供給することができる。
3　受託者は,委託者から支給材の引渡しを受けたときは,直ちに数量を確認し,これを検査し,委託者に受領書を交付するものとする。
4　有償の支給材の所有権は,当該支給材を受託者が受領したときに,委託者から受託者に移転し,無償の支給材の所有権は委託者にあるものとする。

第7条　金型等の貸与
　委託者は,必要に応じて,金型,治工具,検具等を受託者に譲渡し,もしくは貸与するものとし,方法,期間,代金等の具体的な条件については,両当事者間であらかじめ協議の上,定めるものとする。

第8条　技術指導
　委託者は,受託者から要請がある場合には,両当事者であらかじめ合意する条件に従って,製造のために必要な専門知識を有するものを受託者に派遣し,製造等に関する技術指導を行うものとする。

第9条　納入
1　受託者は,本製品を個別契約において記載された納期,納入場所に納入する。
2　納期前に納入しようとする場合,納期内に納入できない場合は,事前に速やかにその理由及び納入予定等を委託者に通知し,委託者の指示を受けるものとする。但し,受託者は,かかる通知を行い,委託者から指示を受けたことをもって,納期遅延による債務不履行責任を免れるものではない。

第10条　引渡し,受入検査
1　委託者は,前条による納入後7日以内に,事前に両当事者で合意した検査基準に従って,受入検査を実施するものとする。
2　前項の受入検査の結果,合格した場合は,受領証を,合格しなかった場合は,その旨の通知を,当該本製品の納入後10日以内に送付するものとする。
3　受入検査に合格したときは,その時点で本製品の引渡しがあったものとする。
4　受託者は,前項による合格しなかった旨の通知を受けた場合は,修理,代替品又

は不足分の納入，その他，委託者が指示する措置を講じるものとする。

第11条　所有権及び危険負担
1　本製品の所有権は，前条に定める受入検査の合格をもって，受託者から委託者に移転するものとする。
2　本製品の危険負担は，受託者が当該本製品を委託者に納入した時に，受託者から委託者に移転するものとする。

第12条　支払
1　委託者は，毎月末日までに引渡しを受けた本製品の代金を，翌月25日までに，受託者の指定する銀行口座に振り込むものとする。
2　前項の振り込みにかかる銀行手数料は，委託者の負担とする。
3　委託者は，第1項の支払期日までに代金の全部又は一部を支払うことができないときは，当該支払期日の翌日から支払をするまでの期間について，未払金額に年利6%を乗じた金額を遅延利息として支払うものとする。

第13条　品質保証
1　受託者は，本製品の品質が，当該本製品の仕様に合致していることを保証する。
2　前項に定める保証は，第10条の受入検査合格後1年間効力を有するものとする。
3　前項に定める保証期間内に，委託者が本製品が種類，品質又は数量に関して仕様に合致しないこと（以下，「契約不適合」という。）を発見した場合には，受託者は，委託者の指示に従い，当該本製品の修理，良品との交換又は代金の減額のいずれかを無償にて行うものとする。
4　前項の措置に加え，保証期間内に，委託者が当該契約不適合によって損害を被った場合は，委託者は受託者に対して，かかる損害の賠償を請求することができる。

第14条　製造物責任等
　受託者の責めに帰すべき事由による本製品の瑕疵が原因となって，第三者の生命，身体又は財産に損害が生じ，これによって委託者が損害賠償等の責任を負担するに至った場合，委託者はかかる損害を受託者に対して求償することができる。

第15条　秘密保持等
1　それぞれの当事者は，本契約又は個別契約に基づき知り得た相手方の業務上の秘密を，事前に相手方の書面による承諾を得ることなく，第三者に開示もしくは漏洩し又は定められた目的以外に使用してはならない。

2 　前項による義務は,以下の情報については適用されないものとする。
 　(1) 相手方から開示を受けた時に,既に公知であった情報
 　(2) 相手方から開示を受けた時に,既に所有していた情報
 　(3) 相手方から開示を受けた後に,自己の責めに帰すべき事由によることなく公知となった情報
 　(4) 開示又は提供されたいかなる情報にもよらずに独自に開発した情報
 　(5) 秘密保持義務を負う事なく第三者から合法的に取得又は開示された情報
3 　受託者は,委託者から貸与又は提出された図面,仕様書等を善良な管理者の注意をもって保管管理し,委託者の許諾がない限り,定められた目的以外に使用してはならない。これらの図面,仕様書等の返還を求められた場合は,速やかにこれらを委託者に返還するものとする。

第16条　知的財産権

1 　本製品の製造に関して委託者から受託者に開示される特許権,その他の知的財産権は,委託者固有の財産である。
2 　本契約によって,委託者は,受託者に対して,いかなる知的財産権に関する権利又はライセンスをも付与するものではない。
3 　受託者は,本製品に関して発明や創作をなした場合は,直ちにその内容を委託者に通知しなければならない。
4 　両当事者は,前項の発明や創作についての貢献度合いを勘案し,当該知的財産権についての帰属を協議の上,定めるものとする。
5 　前項の規定によって受託者の単独に帰属することとなった知的財産権については,受託者は,その条件について協議の上,委託者にその利用を許諾するものとする。
6 　本製品について,第三者との間で知的財産権場の権利侵害等の問題が生じたときは,相手方に書面で通知し,当該問題に関して責めに帰すべき当事者の負担と責任で処理解決するものとする。

第17条　競業避止

　　受託者は,委託者の書面による事前の同意を得た場合を除き,本製品と同一又は類似の本製品を委託者以外の者のために製造し,販売してはならない。

第18条　再委託

1 　受託者は,事前に委託者が書面で承諾した場合には,個別契約に係る業務を第三者に再委託することができる。

2　前項による再委託を行う場合,受託者は,当該第三者が本契約の定めを遵守することを保証し,当該第三者による不遵守があった場合は,すべての責任を委託者に対して負うものとする。

第19条　権利・義務の譲渡
　　各当事者は,相手方の事前の書面による承諾を得ない限り,本契約又は個別契約に関して生じる一切の権利義務の全部又は一部を第三者に譲渡し,又は担保に供してはならない。

第20条　解除
1　各当事者は,相手方が次の各号のいずれかに該当した場合,何らの催告なく,本契約及び個別契約の全部又は一部を解除することができる。
　(1) 手形又は小切手の不渡処分を受けたとき,又は銀行取引停止処分を受けたとき
　(2) 仮差押え,仮処分,差押え,競売,強制執行又は公租公課の滞納処分を受けたとき
　(3) 破産手続開始,特別清算開始,民事再生手続開始,会社更生手続開始の申立てを受け,又は自ら申立てを行ったとき
　(4) 監督官庁から営業停止,免許もしくは登録の取消処分等を受けたとき
　(5) 解散,会社分割,事業譲渡又は合併の決議をしたとき
　(6) その他,前各号に準ずる事由があるとき
2　各当事者は,相手方が本契約又は個別契約のいずれかの条項に違反し,かつ,当該違反の是正の催告を書面で発送後30日以内に是正がなされなかった場合,民法541条ただし書の規定にかかわらず,かかる相手方に対する書面の通知をもって本契約又は個別契約の全部又は一部を解除することができる。
3　前2項による本契約又は個別契約の解除は,解除した当事者から相手方に対する損害賠償請求を妨げない。

第21条　通知義務
　　各当事者は,本契約に個別の定めのあるものに加え,次の各号のいずれかに該当する場合には,速やかに相手方に対して通知するものとする。
　(1) 第20条第1項のいずれかに該当したとき
　(2) 本契約又は個別契約に係る取引に関連する営業を譲渡し,又は譲り受けたとき
　(3) 住所,代表者,商号,その他の取引上の重要な事項に変更が生じたとき

（4）委託者以外の者から本製品と同一もしくは類似のものの引合い又は注文を受けたとき

第22条　有効期間
1　本契約の有効期間は，締結の日から1年間とする。ただし，満期満了の1ヵ月前までにいずれかの当事者から書面にて，変更，解除又は更新しない旨の申出がない限り，本契約と同一の条件でさらに1年間継続するものとし，その後もこの例によるものとする。
2　本契約の期間満了又は解除時に存在する個別契約については，本契約は当該個別契約の存続期間中，本契約の各条項を適用する。

第23条　残存義務
　本契約及び個別契約の期間満了又は解除後においても，第13条，第15条，第16条，第24条及び本条の規定は，なお有効に存続する。

第24条　合意管轄
　両当事者は，本契約又は個別契約に関して訴訟の必要が生じた場合には，東京地方裁判所を第一審の専属的管轄裁判所とすることに合意する。

第25条　協議条項
　本契約及び個別契約の規定に関する疑義又はこれらに定めのない事項については，両当事者誠実に協議して解決するものとする。

　本契約を証するため，本書2通を作成し，各当事者記名押印し，各1通を保有する。

　　　　年　　　月　　　日

　　　委託者　　東京都新宿区新宿〇-〇-〇
　　　　　　　　〇〇〇〇株式会社　　代表取締役　　　　　㊞

　　　受託者　　東京都渋谷区渋谷△-△-△
　　　　　　　　株式会社△△△△　　代表取締役　　　　　㊞

7−2 国際製造ライセンス契約　☞モデル契約書7-2-1

　次に紹介するのは，日本企業がタイ法人である下請会社に日本企業のブランドを付した製品の製造を委託するOEM契約である。

- 製造委託（第2.1条）
　発注会社は，発注会社のブランドを付けた製品の製造をタイの下請会社に製造委託するものであり，下請会社の製造した製品は発注会社のみに販売できる。なお，地域を記載しているが，これは下請会社が製品を製造でる地域を限定するものであり，タイ以外の国では製品を製造できないことを意味している。

- 個別発注条項（第2.2条）
　発注会社から下請会社に対してWork Order（個別発注書）が発行され，外注書に記載の条件と同条件のAcceptance of Work Order（個別受注書）を発注会社が下請業者から受領後にのみ製品を製造できる。

- 技術情報流用禁止条項（第2.4条）
　発注会社としては，下請会社が発注会社の技術情報を流用して類似品（productsが小文字であることに注意）を製造することを避けたい。製品に類似しているかどうかを問わず，技術情報を使用したいかなる製品の製造を禁止している。なお，2.5条においては再下請を禁止しているが，これは技術情報等が再下請から流出することを避けるためである。

- 技術指導（第3.2条及び第3.3条）
　発注会社は下請会社を日本で技術指導し（第3.2条），発注会社は下請会社を現地においても技術指導する（第3.3条）。これは，いずれからの要請（あるいは権利）として行われるか，渡航費，滞在費，食費，アブセンスフィー（不在補償料）をどちらが負担して支払うかどうかは条件の組合せとなる。

- 部品（第4条）
　製品製造に使用される部品は下請会社が調達する。しかし，発注会社が部品を供給すべきであると判断した場合，発注会社が部品を提供する。この場合の部品所有権は発注会社に帰属するが，部品引渡後に再度製品が引

き渡されるまでの部品の危険負担は下請会社が負担する。特に特許侵害のおそれのあるような部品については，ブラックボックス化して発注会社が引き渡すことが考えられる。さらに，一旦輸入して製品として輸出するので，当該部品の関税がかからないような方策(たとえば無関税地域での製造等)を検討することが必要である。

- 改良（第7条）

　発注会社が製品に改造，開発，発明を行った場合，本契約履行に関連する場合に下請会社に通知する。一方，下請会社が製品について改良や開発を行った場合，これを発注会社に通知し，発注会社は希望する場合は合理的なコストでこれをライセンスできる(非独占)。なお，希望しない場合についての規定はここではしていない。

　改良技術の譲渡義務や独占的ライセンス義務については，公正取引委員会が定める「知的財産の利用に関する独占禁止法上の指針」を参考にして条文を定める必要がある。

- 知的財産権侵害に対する防御（第8.3条）

　発注会社は，下請会社が製品を製造するにあたり，第三者の知的財産権を侵害しないことを表明・保証している。さらに，下請会社が第三者から製品製造をしている際に請求を行った場合，発注会社は義務としてではなく選択により防御できる，としている。

- 解除時の義務（第9.3条）

　本契約の解除にかかわらず，既に負担した債務については免責するものではない。

- 準拠法（第18条）

　本契約の準拠法は日本法としているが，抵触法の規定(conflict of law principles)を設けて日本法における抵触法の規定の適用を排除し，さらにウィーン動産売買条約(UN Convention on International Sale of Goods (CISG))を排除している。

SUBCONTRACT AGREEMENT

THIS AGREEMENT is made and entered into this [DATE] day of [MONTH], 2020 (hereinafter referred to as "Effective Date") by and between Principal Corporation, a corporation organized and existing under the laws of Japan and having its principal office at [ADDRESS](hereinafter referred to as "Principal") and Subcontractor Corporation, a corporation organized and existing under the laws of Thailand and having its principal office at [ADDRESS](hereinafter referred to as "Subcontractor"),

WITNESSETH THAT:

WHEREAS, Principal has for many years been engaged in the design, manufacture and sale of Products (hereinafter defined);

WHEREAS, Subcontractor is a leading global company to produce [INSERT TYPE OF PRODUCT] products; and

WHEREAS, Principal is desirous of appointing Subcontractor to manufacture the Products (hereinafter defined) and Subcontractor is willing to accept such request from Principal.

NOW, THEREFORE, in consideration of the premises and the mutual covenants and agreements herein contained, the parties hereto agree as follows:

Article 1   Definitions

For the purpose of this Agreement, the following terms shall have the meanings hereinbelow assigned to them respectively:

(1) "Products" means [INSERT DETAIL DESCRIPTION OF PRODUCT] which is produced using Technical Information carrying the brand name, trade name, trademark, and company name of Principal.

(2) "Technical Information" means drawings, designs, specifications, charts, test reports and all other materials used by or in the possession of Principal on the date of this Agreement and applicable to the design, manufacture and test of the Products.

(3) "Territory" means Thailand.

Article 2 Manufacturing the Products by Subcontractor

2.1 Principal hereby grants to Subcontractor the non-exclusive license, without the right to sublicense, to manufacture the Products in the Territory solely to supply to Principal.

2.2 Subcontractor agrees not to manufacture any Products unless and until the written work order made for each work to manufacture the Products is placed by Principal in the format designated by Principal ("Work Order") and written acceptance of Work Order mirroring the terms of Work Order is made by Subcontractor and delivered to Principal. Work Order shall contain, among other things, quantity, delivery time, inspection method and price of the Products.

2.3 Principal shall, during the term of this Agreement, and for the purpose of performing the Agreement by Subcontractor, irrevocable and non-exclusive license to use brand name, trade name, trademark, and company name of Principal solely to produce the Products.

2.4 Subcontractor agrees not to manufacture any products using the Technical Information within or outside of the Territory regardless whether such product produced by Subcontractor is similar or not similar to the Products.

2.5 Subcontractor shall not retain any third party for manufacturing the Products.

Article 3 Technical Information and Services

3.1 Principal shall, within seven (7) days after the Effective Date of this Agreement, furnish to Subcontractor the Technical Information in documentary form. All drawings and documents to be supplied by Principal will be in the English language.

3.2 Upon written request of Subcontractor, Principal agrees to accept a reasonable number of Subcontractor's personnel at Principal's facilities in Japan for the purpose of training and instructing such personnel in the manufacture and test of the Products, provided, however, that such training does not exceed sixty (60) man-days for the first one-year period commencing on the Effective Date and thirty (30) man-days for the subsequent each one-year period. The travel expenses to and from Principal's facilities, living expenses during their stay in Japan and all other expenses incurred in this connection shall be borne by Subcontractor.

3.3 Upon written request of Subcontractor and if Principal considers it necessary,

Principal agrees to dispatch one or more of its competent engineer(s) to Subcontractor for the term not more than thirty (30) man-days per any one-year period commencing on the Effective Date or on anniversary thereof, to furnish necessary technical advice and guidance in the design, manufacture and test of the Products at Subcontractor's facilities in Thailand. Subcontractor agrees to bear the travel expenses of Principal's engineers to and from the facilities of Subcontractor and living expenses during their stay in Thailand and also agrees to pay to Principal the absence fee of [AMOUNT] per day per engineer.

Article 4　Supply of Materials and Parts

4.1　In the event Subcontractor desires to purchase any materials or component parts required for the manufacture, assembly, repair or maintenance of the Products, Principal agrees to supply Subcontractor at prices and on delivery terms to be agreed upon at that time with such materials or component parts to the extent such may be available, or agrees to assist Subcontractor in procuring such materials or component parts, provided that such sale of any materials or component parts by Subcontractor will be made only if Purchase Order is made and written acceptance of Purchase Order mirroring the terms of Purchase Order is made by Subcontractor and delivered to Principal.

4.2　Notwithstanding the provision of 4.1, if Principal determines certain materials or component parts to manufacture the Products ("Supplied Materials and Parts") shall be used, Principal will supply Supplied Materials and Parts free of charge, of which details, such as number of parts and delivery time, will be specified in Work Order. Subcontractor shall use Supplied Materials and Parts only for manufacturing the Products. Title to Supplied Materials and Parts shall remain to Principal and Subcontractor shall be responsible for risk of loss after it receives Supplied Materials and Parts until shipping the Products to Principal using all Supplied Materials and Parts.

Article 5　Delivery of the Products and Payment

5.1　Subcontractor shall deliver the Products to Principal on the delivery time specified in Work Order. Such delivery shall be made CFR port of [SPECIFY NAME OF PORT], Incoterms®2020.

5.2　Principal agrees to pay the price of the Products to Subcontractor in the amount specified in each Work Order.

5.3 All payments by Principal to Subcontractor due under this Agreement shall be made by telegraphic transfer in US Dollar within sixty (60) days from the date of delivery. All bank charges, tax and other expenses incurred by each party in its country in connection with the remittance of the amount due hereunder and the receipt thereof shall be borne by each party.

Article 6   Observance of Secrecy

Subcontractor shall maintain strictly in confidence any and all information disclosed to it by Principal under this Agreement and shall use the same exclusively in its own manufacture of the Products.

Article 7   Improvements and Developments

7.1 Principal agrees that it may notify Subcontractor of any improvements, developments and inventions, to the extent it is necessary for Subcontractor to perform this Agreement.

7.2 Subcontractor agrees that any improvements and developments relating to the Products and/ or Technical Information, whether patentable or not, acquired or otherwise obtained by it during the term of this Agreement shall be disclosed promptly to Principal. Principal may, in its sole direction, obtain non-exclusive license for such improvements and developments relating to the Products and/ or Technical Information, provided that Principal will pay reasonable fee for making such improvements or developments relating to the Products and/ or Technical Information. If Principal pays such fee, Principal may grant non-exclusive sub-license to other subcontractor(s) of Principal to use such improvements and developments. This clause does not change the obligation of Subcontractor that: (i) Products shall be manufactured only for Principal; and (ii) Technical Information is solely used for the purpose of this Agreement.

Article 8   Warranties, Inspection and Indemnities

8.1 Subcontractor warrants that the Products are as per the Technical Information at the time of delivery and will be free from defects and workmanship for 14 (fourteen) months from the date of delivery. Principal may inspect the Products prior to delivery of the Products. Such inspection shall not affect the warranties of

Subcontractor to the Products.

8.2 Subcontractor will indemnify and hold harmless customers/ users and distributors/ resellers of the Products, Principal, its subsidiaries and their respective directors, officers, employees, contract workers and agents against any loss arising from or relating to any third-party action alleging any injury to or death of any person or damage to or destruction of property resulting from any defect in the Products caused by the defective materials or workmanship or negligent, reckless or willful act or omission, but specifically excluding defects caused by a negligent, reckless or willful act or omission of Principal, its subsidiary or any of their respective employees, contract workers, agents or other representatives.

8.3 Principal makes no representation or warranty that the manufacture of the Products under this Agreement will not infringe any patent or other intellectual property rights of any third party, other than to state that to the best of its knowledge and information it knows of no such patent and other intellectual property right would be infringed in the Territory. In the event that any intellectual property right infringement action, proceeding or claim of any kind or nature is instituted against Subcontractor because of Subcontractor's production of the Products under this Agreement, Principal agrees, at the request of Subcontractor and without assuming any financial or legal obligation, to assist Subcontractor in the defense of such action, proceeding or claim to the best of its ability.

8.4 Principal hereby warrants that the Technical Information furnished by Principal to Subcontractor under this Agreement will be in accordance with the standard employed in its own business, but Principal shall not be liable to Subcontractor for any damages arising out of or resulting from anything furnished or made available to Subcontractor hereunder or the use thereof, and Principal shall also be fully indemnified from any claim asserted by a third party or parties in connection with the operations of Subcontractor hereunder.

Article 9　Term and Termination

9.1 This Agreement shall become effective on the Effective Date and shall continue to be effective for three (3) years from the Effective Date unless earlier terminated as provided elsewhere in this Agreement. This Agreement shall automatically be renewed for one (1) year period each thereafter, unless either party gives to the other party a notice of termination in writing at least sixty (60) days prior to the expiration of the original term of this Agreement or any renewal period hereof.

9.2 Either party may terminate this Agreement at any time upon notice given to the other party, in writing:

(a) if such other party commits a material breach of this Agreement which is not effectively remedied by such other party within thirty (30) days after written notice thereof by the other party, or

(b) if such other party is dissolved, liquidated, declared bankrupt or become insolvent or has commenced proceedings relating to bankruptcy or creditor composition or becomes a non-surviving party to a merger or amalgamation.

9.3 The termination of this Agreement shall not relieve or discharge either party from the liability for the payment of any sums then due or the failure to perform any obligations to have been performed under the provisions of this Agreement.

9.4 In the event of termination hereof or the expiration of this Agreement, Subcontractor shall return to Principal the Technical Information furnished hereunder.

9.5 Article 1 (Definitions), Article 2 (Manufacturing the Products by Subcontractor), Article 6 (Observance of Secrecy), Article 7 (Improvements and Developments), Article 8 (Warranties, Inspection and Indemnities), Article 11 (Observance of Export Control Law), Article 14 (Arbitration), and Article 18 (Governing Law and Language) shall survive any termination of this Agreement.

Article 10   Force Majeure

Neither party shall be liable to the other party for failure or delay in performance of all or part of this Agreement, directly or indirectly, arising acts of God, government restrictions, war, fire, riot, strike, flood, accident or any other causes of circumstances beyond either party's control, but nothing herein shall relieve either party from its obligation to pay amounts of money due hereunder. If such failure or delay exceeds three (3) months, then either of the parties hereto may negotiate with the other party as to the termination or modification of this Agreement.

Article 11　Observance of Export Control Law

Each party shall observe the laws, orders or regulations relating to the export control of the country of its own and of the other party hereto.

Article 12　Assignment

This Agreement shall inure to the benefit and be binding upon the parties hereto, their successors and assigns. Neither party shall assign or delegate this Agreement or any rights and obligations hereunder to any other party without the prior written consent of the other party.

Article 13　Notices

All notices and reports required under this Agreement shall be in writing in English, and shall for all purposes be deemed to be fully given and received if dispatched by registered and postage prepaid airmail or facsimile followed by a confirmation letter by a registered airmail, to the respective parties at the addresses hereinabove set forth, or at such other address or addresses as either party may later specify by written notice to the other.

Article 14　Arbitration

Any disputes, controversies or differences which may arise out of or in relation to this Agreement shall be settled amicably between the parties. In case it fails, it shall be finally settled under the Rules of Arbitration of the International Chamber of Commerce by one or more arbitrators appointed in accordance with the said Rules in Tokyo, Japan. The award in the said arbitration shall be final and binding upon the parties hereto.

Article 15　Entire Agreement

This Agreement contains the entire agreement between the parties hereto with respect to any and all subject matters covered herein and supersedes and cancels all previous agreements, negotiations, commitments and writings relating thereto. Any modification or amendment to this Agreement shall be valid and effective only if reduced to writing and signed by a duly authorized representative of each of the parties hereto.

Article 16 No Waiver

A waiver by either party hereto of any particular provision hereof will not be deemed to constitute a waiver in the future of the same or any other provision of this Agreement.

Article 17 Severability

Should any provision of this Agreement be declared or deemed to be illegal or invalid by any court or administrative body of competent jurisdiction, then such provision shall be given no effect and shall be deemed not to be included within the terms of this Agreement, but without invalidating any of the remaining terms of this Agreement. The parties hereto shall then make efforts to replace the illegal or invalid provision by an economically equivalent provision if advisable and legal.

Article 18 Governing Law and Language

18.1 The validity, construction and performance of this Agreement shall be governed by and interpreted in accordance with the laws of Japan, excluding its conflict of law principles and the UN Convention on International Sale of Goods (CISG).

18.2 This Agreement shall be executed in duplicate original in the English language only which shall govern its interpretation and construction in all respects. No translation of this Agreement into any other language, if any, shall have any legal force or effect whatsoever.

IN WITNESS WHEREOF, the parties hereto have caused this Agreement to be executed by their duly authorized representative.

Principal Corporation	Subcontractor Corporation
By : _____	By : _____
Name : _____	Name : _____
Title : _____	Title : _____
Date : _____	Date : _____

第8章
輸入ライセンス契約

吉川 達夫● *Tatsuo Yoshikawa*

1　ビジネスモデル

　輸入ライセンス契約とは,製造メーカーあるいは総輸出販売元などの販売権を有する輸出業者が,輸入業者や総販売代理店に対して販売権を付与する契約である。通常の売買契約は,売主が買主に販売権を付与するのではなく,単なる売買契約として構成される。しかし,販売基本契約は,販売権が付与される規定を含む販売ライセンス契約と捉えることができる。販売店には,商品を扱い,販売する権利が付与され,商標使用が許諾され,メーカー製品を取り扱うことを表示することが認められる。一方で,独占販売権あるいは販売権の対価として,最低購入義務や契約一時金の支払義務が課される。国際契約においては,Basic Agreement for Sales(売買基本契約),Distributorship Agreement(販売代理店契約),Import Distribution Agreement(輸入代理店契約),Export Distribution Agreement(輸出代理店契約)といった契約名で作成されるが,契約は契約名にかかわらず内容で判断される。なお,個々の取引においては売主による売約定書(Sales Note),買主からの注文書(Purchase Order),あるいは個別売買契約(Individual Contract of Sale)が作成される。

2　リスク分析

2.1　販売リスク

　販売可能性についての事前調査を行わないと,販売不振による返品と在庫の山になってしまう可能性がある。輸入販売契約を締結し,最低購入義務を

負担した上で, たとえこれを国内の販売業者にシフトして義務を課したとしても, 国内の販売業者が契約不履行や倒産することもあるので, 引取義務を履行しなければシフトしたことにならない。

2.2 契約リスク

海外のサプライヤーが倒産, あるいは製造不能となることもある。これによって国内の客先に対する商品供給ができない事態が起こることに留意する。

2.3 製品・製造リスク

製品の製造不良, 品質不良といった問題が生じた場合, 顧客あるいは販売店から返品されることになる。また, PL問題になればリコールあるいは自主回収を実施することが必要になることがある。

3 関連する法律・許認可など

3.1 契約商品についての規制法

契約対象商品について, 取扱いに関する許認可が不要か, 日本に輸入するにあたって, そもそも商品を輸入できるか, 輸入できる場合にはどのような制限があるか, といった国内法規の確認が必要である。また, 食品衛生法, JIS法(「産業標準化法」), 電気用品安全法, 薬機法(「医薬品, 医療機器等の品質, 有効性及び安全性の確保等に関する法律」), 容器包装リサイクル法(「容器包装に係る分別収集及び再商品化の促進等に関する法律」)といった法律に基づき, 原産地表示, リサイクルマークの表示や形式認定が必要になるので事前確認が必要である。

3.2 独占禁止法(「私的独占の禁止及び公正取引の確保に関する法律」)

独占禁止法に関連して, 契約書の以下の条項について留意する。
- 競業避止条項：独占販売あるいは取扱いの対価として, 製造メーカー

側は，他社の製品を取り扱わないという競業避止条項（non-competition clause）を要求することがあるが，独占禁止法に違反しないように規定する必要がある。
- 購入義務：契約の条件として，一定の資材・部材を購入する義務が課されることがある。独占禁止法に違反しないように規定する必要がある。
- 並行輸入品の扱い：許諾地域に並行輸入品が持ち込まれないように規定することがあるが，独占禁止法で禁止されていないか適用を確認する必要がある。

3.3　商標法

商標権の事前調査を行い，製品の商品名について第三者が既に出願もしくは登録していないかを確認する。

3.4　代理店保護法

代理店保護法制度が中近東やアジアには存在し，特別な事情がない限り（たとえば売買代金の不払いなど），単なる販売不振といった場合では契約解除が認められない。また，代理店の経営が悪化し，法的手続に入った場合においても契約解除が制限され，管財人が契約の履行を選択した場合，たとえ基本契約に契約解除条項として「会社更生の申立て」といった条項を設けていたとしても，この条項を適用できずに継続的供給義務が課されることになる。

3.5　米国統一商事法典（UCC）

重要事項について規定する場合には，conspicuous（はっきり人目につく状態）にしなければならないと米国統一商事法典において定められている。契約書の重要事項については大文字で表記するのが通常である。

4　契約書チェックポイント　☞モデル契約書8-1

製造メーカーである海外サプライヤーから日本国内輸入業者への販売ライセンス契約であるAuthorized Import Distribution Agreementモデル契約書を解説し，確認すべき事項について検討する。

- 契約相手方（頭書, whereas clause）

  会社なのか個人商店（DBA, Doing Business As個人事業主が屋号を使用）なのかといった相手方の法人格と組織形態や契約の対象となる製品について，(製造)販売権を有しているかの事前調査が必要である。

- 商品（whereas clause）

  商品を規定するにあたって，できる限り普通名詞を使って表現することが必要である。なお，製品名を記載した場合，それが契約時における機種なのか，改良機種も含まれるのか，製品名が異なる類似製品が発売された場合に含まれるか，といった問題が生じる。

- 地域（whereas clause）

  地域以外に販売許諾を与えないように規定されているかを確認するとともに，他の国経由による並行輸入あるいは直輸入をしないことを取り決める必要性について検討する。

- 独占性（第1.1条）

  販売権が独占的に許諾されたか，非独占かを明記する。3.4に記載した代理店保護法制度がある国では，非独占と規定しても独占とされたり，独占しか認められないケースがある。

- 競業避止（第1.3条）

  輸入者が類似する製品を扱えないことを取り決めることができる。類似製品が何を指すのかについて紛争になるおそれがあるので，明確に定義すべきである。

- 引渡条件（第2条）

  Incoterms®2020規則は，International Chamber of Commerce（国際商業会議所，ICC）が定めた貿易基本条件である（国際貿易のみならず，国内貿易にも使用可能としている）。2020年1月1日に発効した条件は，Incoterms®2010規則におけるDAT（そもそもIncoterms®2000規則にはなかった）が廃止され新たにDPU(Delivery at Place Unloaded)が加わった。11の条件は，あらゆる輸送形態に適した規則のクラスと海上及び内陸水路輸送のためのクラスに分類されている。この規則では，売主・買主間の物品について，危険の移転時期，費用（価格でない）や役割といった取引

条件を定めている。危険の移転時期についてFOB条件では，2000年版規則では，欄干通過で危険が移転するとされていた。クレーンで物品をつり上げて船上に積み込む際，船の中側に落下したときは買主の負担，海などに落下したときは売主の負担としていたが，2010年版規則により，「買主によって指定された本船の船上に物品を置くか，または，そのように引き渡された物品を調達することによって，物品を引渡さなければならない」と変更された。

Incoterms®規則は，当事者が援用することにより適用される。ICCは，「FCA38Cours Albert1er, Paris, France Incoterms®2020」と表記することを推奨している。上記のように，Incoterms®はICCの商標となっており，使用については注意を払うべきである（表記方法などオフィシャルテキストを購入して確認することが望ましい）。

【Incoterms®2020規則】

- あらゆる輸送形態に適した規則（Rules for Any Mode or Modes of Transport）

    | EXW | Ex Works | 工場渡し |
    | FCA | Free Carrier | 運送人渡し |
    | CPT | Carriage Paid To | 輸送費込み |
    | CIP | Carriage and Insurance Paid To | 輸送費保険料込み |
    | DPU | Delivery at Place Unloaded | 仕向地荷下渡し（新） |
    | DAP | Delivered at Place | 仕向地持込渡し |
    | DDP | Delivered Duty Paid | 関税込み持込渡し |

- 海上及び内陸水路輸送のための規則（Rules for Sea and Inland Waterway Transport）

    | FAS | Free Alongside Ship | 船側渡し |
    | FOB | Free On Board | 本船渡し |
    | CFR | Cost and Freight | 運賃込み |
    | CIF | Cost, Insurance and Freight | 運賃保険料込み |

- **UCCの規定**

    米国では，模範法（法案モデル）として米国統一商事法典（Uniform Commercial Code：UCC）があり，このモデルに沿った形で各州が州UCC

を規定している。Article2（第2編）は，売買（sale）についての模範法であるが，Incoterms®規則とは異なる引渡条件を定めていた。たとえば，FOBについては，F.O.B. the place of shipmentといった引渡場所渡しとF.O.B. the place of destinationといった仕向地渡しが規定されており，契約当事者が混乱する可能性も高かった。このため，2003年のUCC現代化改正により，2-319条におけるF.O.B.とF.A.S条件，2-320条におけるC.I.F及びC.&F.条件，2-321条におけるC.I.F及びC.&F.条件に関わるnet landed weights, payment on arrival, warranty of condition on arrival規定，2-322条におけるEx Ship条件，2-323条における「国際運送における船荷証券の必要性」，2-324条における「未到着売買不成立条件」が削除された。その理由は，「2-319から2-324条までは，現代の商取引に不一致であること」とされている。上記のようにUCCは各州で採用されているが（ルイジアナ州を除く全米50州とグアムなどの準州），このUCC改正について現段階での各州での修正は皆無である。

- Incoterms®とウィーン売買条約（CISG）の関係

　CISGとは，「国際物品売買契約に関する国際連合条約」（United Nations Convention on Contracts for the International Sale of Goods, 「ウィーン売買条約」ともいう）の略称であり，日本についての発効は2009年8月1日である。異なる締結国における法人の間における国際契約において，CISG排除の契約合意がなされない場合，同契約にCISGの条文が適用されることになる。なお，同条約7条によってIncoterms®は国際取引の一般原則として解釈に用いられる。注意すべき点は，例えば準拠法として日本法を選択した場合，日本は本条約に加入しているのでCISGが契約の解釈に利用される。

- 支払条件（第2.3条）

　L/C（Letter of Credit, 信用状），送金（Telegraphic Transfer, T.T.），前払い（Advance Payment）と後払いの条件を取り決める。

- 最低取扱数量／最低購入額（第3条）

　独占販売あるいは取扱いの対価として，製造メーカー側は，一定数量の商品購入を義務づける最低取扱数量条項（minimum quantity）あるいは最低

購入額を要求することがある。この最低取扱数量を達成できない場合，契約が単に解除されるだけなのか，あるいは逸失利益といった損害金まで請求されるのか等の規定が必要である。達成できた場合，次年度に持ち越せるといった条項を設けることもある。本条では，不達成金額（差額分）の20％を支払うことになっており，この金額を支払えば本契約は解除できない。

- 商標等（第4条）

  商標法上は登録権者が権利者となるので，商標の使用許諾を規定する必要がある。また，契約地域内の商標権を譲り受けることも考えられる。

- 検査条件（第5条）

  買主が行う船積前検査（prior to the shipment but before the packing）条件を仕向港（port of destination）に到着後30日間で検査を行うという仕向地検査条件に変更できる。船積前検査が最終の場合，この条件を明確にしないと，検査後の契約不適合を負担しないというように都合よく解釈されるおそれもある。検査終了後の梱包作業中，あるいは船積港までに到着するまでの陸送中といった，買主への引渡しまでに損害が生じる可能性があるからである。売主から買主の引渡しが完了した船積後である海上輸送中，あるいは陸送中に商品に損害が生じる可能性があることを考慮する必要がある。

- 保証条件（第6条）

  契約不適合責任として，B/L（船積証券）発行後13ヵ月間は商品が仕様（specifications）に合致することを定めている。この保証期間内に商品に契約不適合（defect）があることが分かった場合で，通知が売主に対して保証期間内になされた場合には売主が責任を負担する。売主は，自己の判断（at its sole discretion）で不適合な部品を新しい部品に交換，製品自体を新品の製品に交換，又は売買代金の返金のいずれかを唯一の責任と保証責任義務の履行として選ぶことができる。

  なお，UCCでは売主による四つの保証が取り決められている。2-312条は権限の保証であり，商品の所有権に問題がなく譲渡可能で，担保の目的になっていないことの保証である。2-313条は明示保証（express warranty）であり，黙示保証（implied warranty）と対比される概念である。2-314条

は商品性（merchantability）に関する保証であり, 商品が使用される通常の目的に合致することや品質が均一であることが保証される。2-315条は特定目的適合性（fitness for particular purpose）に関する保証であり, 売主が買主の購入目的が特別な目的であることを知りうべき立場にあった場合, そのような非黙示保証があるとされる。なお, モデル契約ではこういった保証責任を排除している。

　商品の保証期間が開始するタイミングをいつにするかについて, 保証期間が船積時から13ヵ月としているのは, 海上輸送の期間を考慮したため1年より多くしているのである。この点, 買主の仕向地到着時から開始する条件も考えられる。一方で, 保証期間を検収合格したときから開始するという条件であれば, 買主に有利となる。

- 解除条項（第7条）

　契約違反があった場合に, 30日といった治癒期間を与えるのか, 違反によって直ちに解除するのかを条項によって分けて規定することができる。契約解除時に買主の手元に残る在庫について, そのまま販売を認めるのか, その際に商標使用をどう扱うか, パンフレット等どうするかなどを取り決めておくことができる。

- 独立当事者／非共同事業関係確認条項（第8.1条）Relationship Clause

　本契約における当事者の関係が互いの代理関係でないこと, 共同事業でないことを確認する。"joint venture"を「合弁事業」と訳すのは適切ではない。

- 譲渡禁止条項（第8.2条）Assignment Clause

　欧米の契約法の考え方においては, 契約譲渡が可能であることが原則であるが, 契約上の地位や契約そのものを譲渡できないことを確認する。

- 完全合意条項（第8.3条）Entire Agreement Clause

　本契約を締結することによって, それまで協議し, あるいは合意したすべての事項が本契約に取って代わり, 無効となることを確認する。"supersede"を「優先する」と訳す場合があるが, 優先しても適用があるという意味になってしまうので,「置き換える」などと訳すことが必要である。

- 権利放棄条項（第8.4条）Waiver Clause
  当事者が契約上認められている権利を行使しなかったとしても，権利放棄とはみなされないことを確認する。
- 準拠法（第8.5条）Applicable Law
  準拠法を定めるにあたって，動産売買に関するウィーン売買条約（CISG）に留意しなければならない。モデル契約ではCISGの適用を排除している。
- 分離条項（第8.6条）Severability Clause
  ある条項が法律上無効とされた場合，その条項のみが切り離されて，残りの条項が無効とされないことを取り決める。無効条項については，いくつかの取決めの方法があり，たとえば両当事者の意図に従って違法にならないように修正することができる。
- 通知条項（第8.7条）Notice Clause
  契約に基づく通知をどのようにするかを取り決め，この通知方法に則った通知（例：解除条項）を行わなければならず，怠ると通知が無効であると主張されることがある。
- 頭書（第8.8条）Heading Clause
  契約書の本文のみが解釈に使われ，頭書は解釈には関係ないことを取り決めている。
- 正本（第8.9条）Counterparts Clause
  何部正本を作成するかを取り決める。

AUTHORIZED IMPORT DISTRIBUTORSHIP AGREEMENT

THIS AGREEMENT is made on this [   ] day of [   ] , 2020 by and between Supplier Corporation, a corporation incorporated in [   ] and whose registered office is at [   ] (the "Supplier") and Importer Japan Ltd, a corporation incorporated in Japan whose registered office is at [   ], Tokyo, Japan (the "Importer").

WITNESSETH:

WHEREAS, the Supplier is engaged in the manufacturing, distribution and sale of [   ] as more specifically described in Appendix A to this Agreement (the "Product");

WHEREAS, the Importer is desirous of importing, distributing and selling the Product subject to and under the terms and conditions of this Agreement; and

WHEREAS, the Supplier hereby agrees to grant to the Importer the right to import the Product in the territory of Japan (the "Territory").

NOW THEREFORE, in consideration of the mutual covenants contained herein, the Parties hereto agree as follows:

1. **APPOINTMENT**

1.1 Subject to the terms and conditions hereof, the Supplier hereby agrees to appoint the Importer as its sole and exclusive distributor for the sale in the Territory. During the term of this Agreement, the Supplier shall not grant any other distributor or importer for the Product in the Territory. The Supplier shall not knowingly sell the Product for the purpose of export or sale to the Territory. The Supplier shall refer to all inquiries from the Territory for the Product to the Importer.

1.2 The Supplier hereby grant to the Importer to call "Authorized Importer of the Supplier" during the term of this Agreement using the trade name and trademark of the Supplier. The Importer shall make best effort to distribute, market and sell the Product in the Territory.

1.3 During the term of this Agreement, the Importer shall not sell or deal any products similar to the Product in the Territory.

1.4 The Importer shall act at all times and conduct its activities in a professional and competent manner. The Importer shall actively promote and sell the Product to customers in the Territory ("Customer") and maintain a high level of customer satisfaction. Without limitation, the Importer shall: (i) comply with all practices and procedures provided by the Supplier ; (ii) promote the Product in a manner that maintains the good name and reputation of both the Supplier and the Product; (iii) provide to Customer a copy of any materials included by the Supplier in the Product packaging; and (iv) not engage in any illegal, false or deceptive acts or practices with respect to the Importer's business activities.

1.5 The Importer shall provide knowledgeable assistance to customers and potential customers in connection with the Product, including, if applicable, providing information and advice in the general use of the Product.

2. DELIVERY, PRICE AND PAYMENT

2.1 The Supplier shall deliver the Product to the Importer CFR port of [   ], Incoterms®2020. The Supplier shall deliver to the Importer sample, design or know-how to the Importer.

2.2 The price of the Product to be paid by the Importer shall be determined on CFR basis.

2.3 All payment of the Product by the Importer shall be by means of an irrevocable letter of credit issued by a bank acceptable to the Supplier, which shall be established by the Importer 30 days prior to each shipment.

3. MINIMUM PURCHASE

3.1 It is agreed that as one of the main conditions prerequisite to the continuation of the Agreement, the Importer agrees to purchase the Product in the amount of Japanese Yen [   ] per Contract Year (hereinafter defined) throughout the term of this Agreement as the minimum guaranteed amount. Contract Year means each annual period commencing on January 1 and ending on December 31 of such year during the term of this Agreement. A purchase shall be deemed to have been made as of the date of the purchase order thereof. The amount shall be deducted in case of non-delivery or cancellation due to the reasons attributable to the Supplier.

3.2 In case the Importer has failed to purchase the minimum guaranteed amount, the Importer agrees to pay, as the sole remedy for the failure of the minimum guaranteed amount, twenty percent of the total value of the price for unattained quantity of the Product. The Supplier is not be entitled to terminate this Agreement in case the Importer pays the said amount.

4. TRADEMARKS, PATENTS, OTHER INTELLECTUAL PROPERTY RIGHTS

4.1 The Supplier represents and warrants that the Supplier is owner of all rights, title and interest in the trademark used for the Product and the registered to the Japan Patent Office and shall continue to maintain such registration during the term of this Agreement.

4.2 The Supplier warrants to the Importer that trademarks, trade names, designs, patents and/ or other intellectual property rights used or embodied in the Product shall not infringe trademarks, trade names, designs, patents and/ or other intellectual property rights owned or alleged to be owned by any third parties in the Territory. The Supplier shall defend, indemnify, and hold the Importer harmless for and against all claims, suits, liabilities, losses or damages of any kind asserted by third parties to the Importer arising out of the claims in connection with the sale and use of the Product.

4.3 The Supplier shall grant to the Importer, during the term of this Agreement, the use of trade name of the Supplier and trademark of the Product. The Importer shall abide by the Supplier's Trademark Policy which shall be provided by the Supplier on the sales support web of the Supplier. The Supplier may, at its discretion, change such policy from time to time.

5. INSPECTION

The Importer or its authorized agent may inspect the Product at the Importer's sole expense provided that any such inspection shall be carried out prior to shipment and before packing the Product. Such inspection shall not affect to warranties to the Product.

6. WARRANTIES

The Supplier shall warrant that the Product meets the specification for thirteen

(13) months after the date of B/L. In the event that the Product is found to be defective, the Importer shall provide written notice to the Supplier of such defect. If such notice is received by the Supplier within the warranty period noted above, the Supplier shall, at its sole discretion, replace the defective components or parts with new components or parts, replace the defective Product with a new Product, or refund the purchase money of the Product, as the Supplier's sole responsibility and obligation under this warranty clause. THE FOREGOING WARRANTY IS IN LIEU OF ALL WARRANTIES EXPRESS OR IMPLIED, INCLUDING BUT NOT LIMITED TO, WARRANTY OF MERCHANTABILITY AND FITNESS FOR A PARTICLULAR PURPOSE.

7. TERMINATION

Either party may terminate this Agreement by giving the other party the written notice of termination if:
(a) the other party commits a material breach or default under this Agreement and fails to cure such breach or default thirty (30) days after the terminating party gives the other party written notice of its intention to terminate this Agreement if the breach or default it not cured within such period; or
(b) either party becomes insolvent, files or have filed a petition in bankruptcy or for reorganization, or fails to pay in full any amounts due under this Agreement when due.

8. MISCELLANEOUS CLAUSES

8.1 Relationship
Nothing in this Agreement shall be construed to constitute either party the agent of the other or to constitute the joint-venture between the Parties.

8.2 Assignment
This Agreement shall not be assigned in whole or in part without the prior written consent of the other party.

8.3 Entire Agreement
This Agreement contains the entire agreement between the Parties with respect to the subject matter hereof and supersedes all prior agreements, understandings and representations.

8.4 Waiver

The failure, delay or omission of either party to perform any right or remedy provided in this Agreement shall not be a waiver.

8.5 Applicable Law

This Agreement shall be governed by [   ] law. The Parties agree that the [   ] court shall have non-exclusive jurisdiction over the Parties in relation to any dispute arising out of or in respect of this Agreement. The Parties hereby confirm and agree that United Nations Conventions of Contracts for the International Sales of Goods, 1980 shall not apply to the interpretation of this Agreement.

8.6 Severability

If any provision of this Agreement is determined by any court to be void, unenforceable or ineffective for whatever reason, but such provision would be valid and effective if part of it or the whole or part of any other provision of this Agreement were deleted, then the aforesaid provision shall apply with such deletions as are necessary to render it valid and effective.

8.7 Notice

Any notice required or permitted to be given under this Agreement shall be in writing and shall be deemed to have been given upon personal delivery or mailing to the address hereinabove set forth.

8.8 Headings

Headings of this Agreement are included for the purpose of convenience only and shall not affect the construction or interpretation of any of the provisions of this Agreement.

8.9 Counterparts

This Agreement may be executed in any number of counterparts, each of which when executed shall constitute an original, but all of which when taken together shall constitute one and the same agreement.

IN WITNESS WHEREOF, the Parties have executed these presents on the day and year first above written.

IMPORTER

_____

SUPPLIER

_____

Appendix A
[Description of the Product]

第9章
国内販売ライセンス契約

島 美穂子 ● *Mihoko Shima*

1 ビジネスモデル

　本章では,メーカーが,個人のディストリビューター(販売代理店・問屋に相当する)に対して,販売権を付与するとともにその保有する商標権(又はその使用権)についてライセンス(使用許諾)する契約について述べる。販売の形態としては,ディストリビューターがメーカーから商品を買い取って消費者に再販売する「転売型」と,メーカーがディストリビューターに販売を委託する「委託販売型」が考えられる。ディストリビューターは,転売型の場合には転売差益を得ることになり,委託販売型の場合には,メーカーから委託販売手数料を得ることになる。

2 リスク分析

2.1 販売リスク

　転売型の場合に販売戦略,販売予測が十分でないと,ディストリビューターは過剰在庫を抱えることになってしまう。この場合に,ディストリビューターが在庫を処分するためにネットオークションや格安量販店に商品を流すと,商品の値崩れやメーカーのブランド又は商品イメージの低下が生じうる。

2.2 製造リスク

　製造業者等は,自ら製造,加工又は輸入等した製造物に欠陥があり,当該欠陥により人の生命,身体又は財産を侵害した場合には,免責事由に該当しない限り,これによって生じた損害を賠償する責任を負う(製造物責任法3条)。対

象となる人は, ディストリビューターから商品を購入した者に限られない点に注意が必要である(当該商品を購入者が使用している際に事故が起こり, 巻き添えになった者や, 購入者から当該商品を譲り受けたり借り受けたりしてそれを使用していた際に事故が起こり, 被害を受けた者等も含まれる)。

2.3 レピュテーション・リスク

ディストリビューターになろうとする個人が当該商品に関する販売ビジネスの経験を有していないことも多い。したがって, メーカーは, ディストリビューターに対して事前にマニュアルを配布したり研修を行ったりして販売活動に必要な知識や技術を与える必要がある。ディストリビューターの知識や技術が期待される一定の水準に達しない場合には, 当該ディストリビューターのみならずメーカー自体の信用が低下することになる。

3 関連する法律・許認可など

本ビジネスモデルにおいては, メーカーから商品を仕入れ又は販売委託を受けたディストリビューターが, 消費者に対して商品を転売し, 又は販売することが予定されている。そこで, 以下では, メーカー・ディストリビューター間及びディストリビューター・消費者間の両場面に関連する法律について解説する。

3.1 商品に関する法律

商品の販売, 貯蔵, 陳列, その他の取扱いに許認可又は届出等が必要とされていないかの確認が必要である(たとえば, 医薬品の販売, 授与, 又は販売もしくは授与の目的での貯蔵, もしくは陳列に関して, 医薬品, 医療機器等の品質, 有効性及び安全性の確保等に関する法律(「薬機法」)24条)。

3.2 表示に関する法律 (一例)

3.2.1 景品表示法(「不当景品類及び不当表示防止法」)

景品表示法は, 事業者が, 自己の供給する商品や役務の取引について, 一

般消費者に品質・規格その他の内容に関する不当表示(優良誤認表示)や価格その他の取引に関する不当表示(有利誤認表示)等を生じさせる表示を禁止している(5条。同条1号又は2号違反の行為に対する課徴金につき第3節)。

3.2.2 薬機法(「医薬品,医療機器等の品質,有効性及び安全性の確保等に関する法律」)

薬機法は,医薬品,医薬部外品,化粧品,医療機器又は再生医療等製品の名称,製造方法,効能,効果又は性能に関して,虚偽又は誇大な記事の広告,記述又は流布を禁じている(66条1項)。また,医薬品等であってその承認又は認証を受けていないものについて,名称,製造方法,効能,効果又は性能に関する広告をすることも禁止している(68条)。

3.2.3 食品衛生法

消費者庁長官により表示につき基準が定められた器具又は容器包装は,その基準に合う表示がなければ,販売,陳列又は営業上の使用が禁止される(19条2項,70条3項)。また,食品,添加物,器具又は容器包装に関して,公衆衛生に危害を及ぼすおそれのある虚偽の又は誇大な表示又は広告をしてはならない(20条)。

3.2.4 健康増進法

販売に供する食品に乳児用,幼児用,妊産婦用,病者用その他内閣府令で定める特別の用途に適する旨の表示をしようとする者は,消費者庁長官の許可を受けなければならない(26条1項,35条3項)。また,食品として販売に供する物に関して広告その他の表示をするときは,健康保持増進効果等について,著しく事実に相違する表示をし,又は著しく人を誤認させるような表示をしてはならない(31条1項)。

3.3 その他の法律

3.3.1 独占禁止法(「私的独占の禁止及び公正取引の確保に関する法律」)

再販価格の維持,競争品の取扱い制限,販売地域制限,取引先に関する制限,ディストリビューターの販売方法に関する制限,競争者との取引制限,継続的な取引関係を背景とする競争制限行為等について,独占禁止法に抵触しないかの確認が必要である。

3.3.2　商標法

　ディストリビューターがメーカーの商標をつけた商品を転売又は販売することは，メーカーのマーケティング戦略上も，ディストリビューターが消費者から転売又は販売する商品及び自己の販売活動に対する信用を得るためにも，重要な意味をもつ。メーカーは，ディストリビューターにその商標をライセンス（使用許諾）することになるが，前提として，メーカーの商標の有効性について確認する必要がある。

3.3.3　個人情報保護法（「個人情報の保護に関する法律」）

　メーカー又はディストリビューターが個人情報取扱事業者（個人情報データベース等を事業の用に供している者をいう（2条5項））に該当する場合，メーカー又はディストリビューターは，それぞれ，ディストリビューター又は顧客である消費者に係る個人情報を取り扱うにあたって，利用目的を特定し，その範囲内において取り扱わねばならない。偽りその他不正の手段により個人情報を取得してはならず，また，当該個人情報の漏えい，滅失又は既存の防止その他安全管理のために必要かつ適切な措置を講じなければならない（4章）。

3.3.4　消費者契約法

　ディストリビューターと消費者との間で締結される契約は，事業者と消費者の間で締結される契約であるため（個人であるディストリビューターも，事業者に含まれる（2条2項）），消費者契約法が適用される。ディストリビューターが消費者に対する勧誘行為において，不適切な行為（不実告知，断定的判断の提供，不利益事実の不告知といった誤認を通じて消費者の意思表示に瑕疵をもたらすような行為や，不退去や監禁といった困惑を通じて消費者の意思表示に瑕疵をもたらすような行為）を行った場合，消費者は，契約の申込み又はその承諾の意思表示を取り消すことができる（4条）。また，ディストリビューターと消費者との契約に消費者の権利を不当に害する条項（たとえば，ディストリビューターの損害賠償責任を全部免除しているもの，理由のいかんを問わずディストリビューターの損害賠償責任を一部に制限しているもの，法外なキャンセル料を要求するもの，遅延損害金で年利14.6％を超えて取ろうとするもの等）があった場合，当該条項は無効とされる（8条ないし10条）。

3.3.5　特定商取引法（「特定商取引に関する法律」）

ディストリビューターが消費者に商品を転売又は販売する場合には, 訪問販売, 通信販売及び電話勧誘販売に係る取引, 連鎖販売取引, 業務提供誘引販売取引（いわゆる内職商法）による場合が少なくない。これらの取引は特定商取引に該当し（1条），以下の行政規制及び民事ルールに服する。

(1) 行政規制
- 氏名等の明示の義務づけ（勧誘開始前に事業者名や勧誘目的であることなどを消費者に明示する義務）
- 不当な勧誘行為の禁止（不実告知や重要事項の不告知, 消費者を威迫して困惑させたりする勧誘行為の禁止）
- 広告規制（広告への重要事項表示義務づけ, 虚偽・誇大な広告の禁止）
- 書面交付義務（契約締結時等の重要事項記載書面の交付義務）

(2) 民事ルール
- クーリング・オフ（申込み又は契約後に法律で決められた書面を受け取ってから一定の期間, 消費者に認められる無条件の解約権（ただし, 通信販売は対象外））
- 意思表示の取消し（消費者が事業者の不実告知や重要事項の故意の不告知等の違法行為により誤認して契約の申込み又はその承諾の意思表示をしたときの意思表示の取消権）
- 損害賠償等の額の制限（消費者が中途解約する際等に事業者が請求できる損害賠償額の上限設定）

4　契約書チェックポイント

☞モデル契約書9-1

以下では, メーカーが, ディストリビューター（個人）に対して, メーカーの製品を特定の地域内で非独占的に販売する権利を付与するとともに, メーカーが保有する商標権（又はその使用権）についてライセンス（使用許諾）するモデル契約書について解説し, 確認すべき事項について検討する。ライセンスは, 基本契約書とは別個の契約書で定める場合もあるが, モデル契約書においては, 簡略に一条項として記載している。

- 販売店の指名（第1条）
  a. 販売店の指名
     メーカーが，ディストリビューターに対して，特定の地域内でメーカーから商品を購入して販売する非独占的な権利を与えることを定めている。
  b. 対象物の特定
     対象物（「本商品」）の特定は，後日の紛争を予防するために非常に重要である。ただし，商品について契約書の中で定義すると，後日，本商品に変更が生じる度に契約改訂が必要となり煩雑であるため，モデル契約書においては，別紙に定め随時合意により改訂することができる旨定めている。
  c. 非独占性
     メーカーはディストリビューターを非独占的販売店に指名しているため（第1項），当該ディストリビューター以外の第三者に対し，地域内で本商品を購入し販売する権利を与えてよい旨を確認の趣旨で記載している。
- 販売店の活動（第2条）
  a. 販売店の活動
     ディストリビューターに販売促進の努力義務を課している。
  b. 研修等
     メーカーは，統一的なマーケティング戦略の下にディストリビューターの販売活動が一定水準を保つよう，マニュアル等の文書を提供したり，販売活動の指導（研修）・援助活動等を行ったりすることが多い。ディストリビューターになろうとする者は当該商品の販売ビジネスの経験を有していないことも多いため，かかる指導・援助活動等はディストリビューターにとっても販売活動に必要な知識や技術を修得するために重要である。この場合，契約において，研修費用の負担者，負担金額，支払時期，支払方法等について明確に定めておく必要がある。
  c. 顧客データの安全管理措置等
     メーカーがディストリビューターに対して顧客の個人情報の取得や顧客台帳，客先手控え，見込み客リスト等の個人データの安全管理措置等について必要かつ適切な措置を施すべき契約上の義務を課すこともあ

る。販売代理店方式の場合，メーカーは消費者と直接の関係を持たないため，個々のディストリビューターが顧客である消費者の個人情報を漏えいした場合の責任は，本来当該ディストリビューターが負うはずである。しかし，ディストリビューターによる個人情報の取扱いが不適切であった場合，ディストリビューターを束ねるメーカーに苦情等が寄せられ，マスコミ報道等によりメーカーのレピュテーションが損なわれる等のリスクもあるため，メーカーとしては，ディストリビューターに対して顧客の個人情報の取得や個人データの安全管理措置等について，必要かつ適切な措置を施すべき義務を課すことが適切である。

- 商標（第3条）

  a. ライセンス許諾

  商標についての権利関係について，メーカーが商標権（ないしその使用権）を保有し，これをディストリビューターに対してライセンス（使用許諾）する旨定めている。この際，商標がビジネス上統一的に使用され，より大きな効果を発揮できるよう，ディストリビューターの商標使用等についてさまざまな契約上の拘束・使用条件を課すことが多い。

  b. 使用方法の指定・使用義務

  メーカーからディストリビューターに対して，ディストリビューターの商標をどういう形で使用することができるかということを定めている。これは，ディストリビューターの義務として規定される場合も多い。また，具体的な使用方法についてメーカーの個別の許諾を得る義務を定める場合もある。

  c. 侵害・違反事実等の告知

  ディストリビューターが，第三者や他のディストリビューターがメーカーの商標に関する権利を侵害し，又は侵害しうることを認識した場合に，メーカーに告知すべき義務を課す条項である。

  d. その他

  商標権の有効性やそれについての権利がメーカーに帰属することを争わない旨の条項やこれらに関する紛争を予防・解決することを目的とする条項及びディストリビューターによる義務が確実に履行されるよう

期するため，商標使用に関する条件違反に対してペナルティを与える旨の条項が設けられることがある。

● 報告（第4条）

メーカーが統一的マーケティング戦略を策定し，又はその実効性を確認するために，ディストリビューターに市場状況等の報告を求める条項である。実際の契約においては，報告事項及びその記載の程度等について詳しく記載したり，報告書の書式を添付することもある。

● 個別契約（第5条）

個別の売買契約の条件（価格，支払い，引渡し，費用，所有権と危険負担等）については，基本契約である本モデル契約書とは別に定める旨を規定している。

● 秘密保持（第6条）

メーカーは，本契約に基づきディストリビューターに対して秘密情報を提供することもあるため，当該秘密情報についてディストリビューターの秘密保持義務を定めている。秘密保持義務を定めるにあたっては，当該義務の期間，対象，例外事項について明確に定めることが必要である。

● 契約期間（第7条）

両当事者に契約の更新拒絶権を与え，一定期間が満了する際に一方当事者から相手方当事者に対する通知がない場合には契約を自動的に更新する旨を定めている。このほか，確定期間のみを定める方法や（両）当事者に更新する権利を与える方法もある。

● 契約解除（第8条）

第1項は，主にディストリビューターに契約違反や信用不安が生じた場合にメーカーに契約解除権を与えている。第2項は，両当事者に一定期間前の通知に基づく解除権を与えているが，このほか，解除に一定の補償や正当な理由があることを条件に（両）当事者に解除権を認める方法もある。

● 契約終了時の取扱い（第9条）

契約終了後，商標の使用を中止し，ディストリビューターの手元に残ったカタログ等商標表示のあるものについて処分すべき旨及びその方法を定めるものである。かかる義務の実効性を期するために本条項にペナルティ

を定めることも考えられる。

　また, モデル契約書には規定がないが, 契約の終了までの発注方法や, 契約が終了又は解除された場合にディストリビューターの手元に残った本商品に対するメーカーの買取請求権, 買取価格及び輸送料等について定める場合もある。

- **不可抗力**（第10条）

　不可抗力により本契約に基づく債務の全部又は一部の履行ができなくなった場合に関する規定である。不可抗力が一定期間継続する場合を契約解除事由に定める例も多い。

- **譲渡禁止**（第11条）

　メーカーにとって, ディストリビューターの地位が勝手に譲渡されないことは, ディストリビューターにより行われる販売活動の水準・信用を確保するために重要であるため, ディストリビューターについてのみ, 地位及び契約から生じる権利義務の全部又は一部の第三者への譲渡を禁止している。モデル契約書においては, メーカーの事前の書面による承諾を譲渡が認められる例外事由として規定しているが, このほか, 正当な理由の存在を譲渡承認の要件に定める場合もある。

- **裁判管轄**（第12条）

　裁判管轄をどこに定めるかにより, 裁判に要する費用及び労力は大きく左右される。一般的には, 力関係において強い当事者 (モデル契約書においてはメーカー) を管轄する地方裁判所に専属的合意管轄が設けられることが多い。

販売店契約書

　[メーカー]と[ディストリビューター]とは，末尾署名頁記載の日付で，次の通り合意する。

第1条（販売店の指名）
1　[メーカー]は，本契約の期間中，[ディストリビューター]を別紙[　　]の商品（以下「本商品」という。）について，販売先を開拓し本商品を販売する非独占的販売店に指名し，[ディストリビューター]は当該指名を引き受ける。[メーカー]及び[ディストリビューター]は，随時別紙[　　]を改訂することができる。
2　[ディストリビューター]の活動地域は，[　　　　　]（以下「本地域」という）とする。ただし，本地域内において，[メーカー]又は他のディストリビューターが，本契約により[ディストリビューター]に認められる業務と同様の業務活動を行うことがある。

第2条（販売店の活動）
1　[ディストリビューター]は，本商品を本地域内において販売し，もって本商品の拡販に努力する。
2　[ディストリビューター]は，本商品を販売するにあたって，顧客に別途定める取引条件に関する書面を交付しなければならない。
3　[ディストリビューター]は，本商品の販売促進を行い，又は[メーカー]が本商品の販売促進を行う際に本地域において会議やデモンストレーションの場所を確保する等の支援をする。
4　[ディストリビューター]は，自己の費用で，国内の本地域以外の地域で行われるトレーニングセッション及び展示会に参加する。
5　[ディストリビューター]は，自己の費用で，[メーカー]の事業所におけるビジネスミーティングに参加する。
6　[メーカー]は，本商品の販売促進のために必要なカタログ，パンフレット等を無償で[ディストリビューター]に提供する。[メーカー]が無償で提供する以外に本商品の広告宣伝に要する費用は[ディストリビューター]が負担する。
7　[ディストリビューター]が本商品の販売促進のためにカタログ，パンフレット，広告等を作成する場合は，事前に[メーカー]の同意を得なければならない。
8　[ディストリビューター]は，顧客の個人情報の取得や顧客台帳，客先手控え，見込み客リスト等の個人データの安全管理措置等について必要かつ適切な措置を施

さなければならない。

第3条（商標）
1　［メーカー］は，本契約期間中，［ディストリビューター］に対し，本地域内において本製品の販売促進又は広告に関してのみ［メーカー］の商標を無償で使用する非独占的権利を許諾する。
2　［ディストリビューター］は，［メーカー］の商標が［メーカー］に帰属することを確認し，本地域内外を問わず，［メーカー］の商標と同一もしくは類似する商標，記号，マーク，ロゴ等をいかなる商品又は役務についても登録し，又は使用してはならない。
3　［ディストリビューター］は，［メーカー］の商標を本契約及び［メーカー］の指示に厳格に従って使用するものとし，本契約の目的以外のためにこれを使用してはならない。また，［ディストリビューター］は，［メーカー］の商標の全部もしくは一部を改変し，又は［メーカー］もしくは［メーカー］の商標の名誉又は信用を損なうような方法で使用してはならない。
4　［ディストリビューター］は，本商品及びその包装に付された［メーカー］の商標及び商品番号を削除又は隠ぺいしてはならない。
5　［ディストリビューター］は，本地域内において，［メーカー］の商標が第三者に侵害され，又は侵害されるおそれがある場合は，直ちに［メーカー］に通知しなければならない。

第4条（報告）
　［メーカー］が請求した場合，［ディストリビューター］は［メーカー］に対して，以下の事項について報告書を提出するものとする。
（1）市場状況，販売予測
（2）本商品の在庫，月間売上額

第5条（個別契約）
　［メーカー］の［ディストリビューター］に対する本商品の個別の売買の基本条件は，別に定める。

第6条（秘密保持）
　［ディストリビューター］は，本契約又は個別契約に関連して知り又は知り得た本商品に関わる資料及びデータならびに［メーカー］の顧客のリスト及び営業上のデータ等，［メーカー］の秘密の情報を，［メーカー］の書面による事前の同意なくして，本契約の期間中はもとより，本契約終了後も，かかる秘密情報が秘密である

限り,自ら利用し又は第三者に漏洩もしくは開示してはならない。ただし,以下の情報については,本条を適用しないものとする。
(1) 開示の時点で既に公知のもの,又は開示後[ディストリビューター]の責に帰すべからざる事由により公知となったもの
(2) 開示の時点で既に[ディストリビューター]が保有していたもの
(3) 開示後に[ディストリビューター]がその開示と関係なく独自に開発したもの
(4) [ディストリビューター]が第三者から秘密保持義務を負うことなく正当に入手したもの
(5) 行政機関もしくは裁判所より又は法令に基づき提出を要求されたもの。ただし,かかる要求を満たすために必要な限度で開示できるものとする。

第7条(契約期間)
　　本契約の有効期間は,締結の日から[　　]年間とし,同期間満了前[　　]ヵ月以上前にいずれかの当事者が相手方に対して書面による通知を行わないときは,さらに[　　]年間延長されるものとし,以後も同様とする。

第8条(契約解除)
1　[ディストリビューター]が次の各号の一つに該当した場合,[メーカー]は,何らの催告を要することなく本契約を解除することができる。
　(1) 本契約の条項に違反した場合
　(2) 支払停止又は支払不能に陥った場合
　(3) 自ら振り出し,引受又は裏書をした手形又は小切手につき1回でも不渡りを発生させた場合
　(4) 差押え,仮差押え,仮処分,競売の申立て,公租公課の滞納処分,その他公権力の処分を受けた場合
　(5) 破産又は民事再生の申立てがなされた場合
　(6) 担保又は保証の請求を拒否した場合
　(7) その他前各号に準じる事由が生じ,[ディストリビューター]の信用状態が悪化したと[メーカー]が認めた場合
2　いずれの当事者も,[　　]ヵ月前に相手方当事者に書面で通知することによって,本契約を解除することができる。
3　本契約が終了又は本条第1項により解除された場合を含め,一方の当事者に損害が生じた場合には,他方の当事者はこれを賠償しなければならない。

第9条（契約終了時の取扱い）
　本契約が理由のいかんを問わず終了又は解除された場合，[ディストリビューター] は次の各号に従うものとする。
(1) 以後 [メーカー] の販売店とみなされる一切の行為を行わない。
(2) 直ちに [メーカー] の商標の使用を中止する。
(3) 本契約の終了又は解除から [　　] 日以内に，本商品のカタログその他 [メーカー] の商標が付されたものについては，[メーカー] の指示に従い [メーカー] に返還するか，[ディストリビューター] の費用で廃棄する。
(4) 本契約の終了又は解除から [　　] 日以内に，販促素材デモンストレーション機器，その他 [メーカー] に属するものを返却する。

第10条（不可抗力）
　いずれかの当事者が，天災，戦争，内乱，法令の改廃，公権力による命令又は処分，その他自らの責に帰すべからざる事由により，本契約に基づく債務の全部又は一部の履行ができないときは，その当事者はその責を負わないものとする。

第11条（譲渡禁止）
　[ディストリビューター] は本契約上の地位又は本契約から生じる権利義務の全部又は一部を [メーカー] の事前の書面による承諾なくして第三者に譲渡してはならない。

第12条（裁判管轄）
　本契約から生じる一切の紛争については [メーカー] の本店所在地を管轄する地方裁判所を第一審の専属の管轄裁判所とする。

本契約締結の証として本書2通を作成し，署名又は記名捺印の上各1通を保有するものとする。

　　年　　月　　日

　　　　　　　　（メーカー）　○○○○株式会社
　　　　　　　　　　　　　　　代表取締役　　　　　　　　㊞

　　（ディストリビューター）　　　　　　　　　　　　　　㊞

第10章
 # コンサルティング契約

吉川 達夫● *Tatsuo Yoshikawa*

1 ビジネスモデル

　コンサルティング契約は，発注者がコンサルタントからコンサルティング業務サービスを受けるための契約である。コンサルティング契約の形態はさまざまである。顧問契約の形での一定期間における不特定の問題に対するコンサルティングのほか，特定の事件や問題の解決，プロジェクトに対するコンサルティングなどがある。顧客に納入される成果物が作成されるか，多くの顧客向けの資料が提供されるかという点も異なる。また，料金設定も一定ではない。具体的には，①（月額等の）定額料金条件，②単価契約条件，③実質償還条件といったプロジェクト料金形式がある。こうした条件の組合せによって，さまざまな形態となる。

　本章では，成果物を発注者に納入する条件が含まれる英文のコンサルティング契約書，成果物はないが資料等が発注者に提供される条件が含まれる日本のコンサルティング契約書を取り上げる。コンサルティングによって作成された成果物の著作権を含む一切の知的財産権が発注者に帰属する内容のコンサルティング契約は，製作物供給契約に近い内容である。一方，資料等について限られた使用権がある場合，ノウハウライセンス契約に近い内容となる。契約のタイトルだけで内容を判断することは危険であり，実体面の条件にあわせて契約書を作成することが必要となる。

1.1 成果物納入付コンサルティング契約

　成果物納入付コンサルティング契約は，成果物についての知的財産権が発注者に帰属する「請負契約」としての側面をもつ契約である。成果物に対する権利が発注者に帰属するという条件であるから，受注者が同種のものを第

三者に提供することはできない。

　ここで, 日本酒コンサルタントが酒造会社のためにコンサルティング業務を実施することを考えてみたい。酒造会社は日本で1,500以上あるといわれているが, コンサルタントは, コンサルティング業務を1社限定ではなく100社以上といった多くの酒造会社に行う場合も考えられる。

　発注者がコンサルタントを独占したいのであれば, 自社のみに長期的で専属的なコンサルティングを実施するとともに, 他の競合会社が, 同様のサービスや自社に提供されたものと同じか類似の成果物を提供されることを避けたいと考え, 成果物の知的財産権を発注者に帰属させたいと思うものである。また, 発注者が競業避止条件をコンサルタントに求めることも少なくない。

　一方, コンサルタントが多くの酒造会社にコンサルティングを行うのであれば, 発注者それぞれは特別ではなく, 資料の著作権を含む一切の知的財産権を自身に残したい。当然, 知的財産権が発注者に帰属する契約はありえない。さらに, 売上面での影響を鑑みれば, 競業避止条件を盛り込むことは安易には受けられない。

　保証条項も重要である。成果物が納入される契約であれば, コンサルタントは成果物の契約不適合責任を負担する。また, 発注者はコンサルタントに対して納入される成果物や資料等の知的財産権は, 第三者が有する知的財産権を侵害していないという保証条項を要求するであろう。なお, この「保証」には, 提供される成果物や資料等が第三者の知的財産権を侵害しないということと, コンサルタントが過去に第三者に譲渡した成果物の知的財産権を侵害していないという二つの保証が含まれる。

1.2　成果物なしのコンサルティング契約

　成果物なしのコンサルティング契約においても, コンサルタントからまったく資料等が提供されないということはないであろう。何らかの資料等が提供される場合, これらの著作権などの知的財産権はコンサルタントに留保され, 使用権が発注者に認められるという形式をとる。さらに, この使用方法について, 社内限りに使用できるのか, 社外に使用する場合はどのようなケースかなどの制限条項が設けられることがよくある。コンサルタントとしては, 同種

のコンサルティングを行う以上，安易に公開されることは避けたいものである。なお，この場合でも同様に保証条項を設けることができる。

2 リスク分析

2.1 価格設定

価格設定については，上記1で述べたとおり3通りの形式がある。留意事項を以下に示す。

- Fixed firm price（定額契約）条件：発注者にとっては，事前に合意された金額（金額上昇リスクを排除した定額金額）によって成果物の提供を受けられる。コンサルタントにとっては，一定の期間と金額において成果物を納入するというリスクを負担することになる。
- Time & material（定額時間資材償還契約）条件：単価だけを明確にしておく契約である。契約時においては，どれだけ時間を使うかといった予測を把握することが極めて困難であり，人件費の単価上昇といったリスクに発注者側がさらされることになる。一方でコンサルタント側はコスト意識が低くなる傾向にあるため，上限を設けることも考えられる。
- Cost plus fixed fee（実費償還契約）条件：実際のコストにコンサルタントの利益（例えば5％等）を合計した金額となる。発注者にとっては，契約履行が完了しないとコストが判明しないというリスクが生じる。

2.2 検収条件の明確化

「何をもって成果物が納入条件に合致するか」という検収条件を定めることが重要である。「対価の支払いは検収完了を条件とする」との契約が多いので，成果物の検収条件がはっきりしないと，いつまでも支払いがなされないなど，後の紛争を招きかねない。また，このような場合，検収を完了させるために新たに変更契約を締結して検収条件や金額を変更する交渉が始まるリスクもある。

3 関連する法律・許認可など

3.1 請負か準委任か

請負は,「成果物」という仕事の完成に対して発注者が受注者に報酬を支払う契約である。一方,「準委任」であれば,コンサルタントは知恵や知識を提供する契約であり,成果物の納入を請負っていない。「準委任」と「委任」の差とは,法律に関する内容を委任する場合の契約が「委任」であり,それ以外は「準委任」となる。準委任においては,善良な管理者の注意をもって事務を処理することが求められる。請負か準委任かをどのように区別するかは,契約書の表題(タイトル)で決定するのでなく,内容で決定される(コンサルティング契約であっても表題は業務委託契約とするケースもある)。準委任であるのに偽装請負と判断される場合があるので,注意が必要である(発注者が事業主として責任を負担すること,指揮命令がないこと,などが判断基準となる)。なお,請負の場合は下請法の適用があるかどうかの確認が必要である。

3.2 雇用か請負か

コンサルティング契約が実際は雇用契約や労働者派遣契約であるのに,偽装して請負契約の形態をとる場合がある。労働力を提供する労働者派遣は派遣業者しか認められていない。労働者派遣契約であれば,指揮命令権が発注者側にあるが,請負であれば指揮命令権は発注者側にはない。

3.3 知的財産の利用に関する独占禁止法上の指針

公正取引委員会が示す「知的財産の利用に関する独占禁止法上の指針」を参考にして以下のような成果物の知的財産権の扱いや制限条項の合法性の確認が必要となる。

- 技術の利用に関する制限行為によって競争減殺効果があるか
- 技術の利用に関する制限行為によって不当な取引制限(たとえば公正競争阻害性を有するか)となるか。たとえば非係争義務条項などで留意が必要となる。

4 契約書チェックポイント

4.1 Consulting Agreement

☞モデル契約書10-1

　日本企業が米国ニューヨーク州法人のコンサルタントにコンサルティングを委託する国際契約である。この契約は，基本契約であるConsulting Agreementに加え，個別契約であるStatement of Work (SOW)を締結する形態をとっている。SOWはConsulting Agreement本体のExhibit Aに定型フォーマットが添付されているので，実際の複数業務において個々に作成して使用できる。なお，"SOW"は「作業範囲記述書」や（「作業指示書」など）と訳され，業務範囲，成果物の概要，納期，金額などが記載される。

- 成果物納入条項（第1.1条）

  Work Product（成果物）が作成され，発注者に納品される。

- 成果物の知的財産権（第4条）

  コンサルタントが作成する成果物の知的財産権は，発注者に帰属する。

- 保証（第5条）

  本契約でコンサルタントが保証表明するのは，①成果物の知的財産権は第三者の知的財産権を侵害しないこと，②コンサルタントは本契約実施のために必要な許認可を保持すること，③コンサルタントは本契約の実施のために適用される法令を遵守すること，の3点である。

  また，コンサルタントが証明するのは，①本契約を締結することが既に締結した契約や義務に抵触しないこと，②本契約有効期間中にそのような抵触する契約を締結しないこと，の2点である。

- 損失補償条項，責任制限（第8条）

  8.1条は，コンサルタントが補償する内容を規定する条項である（発注者の補償は規定していない）。8.4条はコンサルタントの責任制限を定めており，請求原因の発生から過去12ヵ月に発注者がコンサルタントに支払った金額，あるいは100万USドルのいずれか大きい額を超えない（ただし，適用される法令によって禁止される場合を除く）としている。このような責任制限は必要ないと判断することもでき，その場合は8.4条を削除する。

CONSULTING AGREEMENT

This Consulting Agreement ("Agreement") is made on this [   ] day of [   ] , 20 [   ] ("Effective Date") by and between Principal K.K., a company organized and existing under the laws of Japan, with its principle place of business at, Japan ("Principal") and Consultant Co.,Ltd., a company organized and existing under the laws of state of New York, with its principle place of business at with its principle place of business at [   ] , New York, U.S.A. ("Consultant", hereinafter Principal and Consultant collectively referred to as the "Parties").

WHEREAS, Principal desires to retain Consultant as an independent contractor to perform consulting services for Principal; and

WHEREAS, Consultant is willing to perform such services as an independent contractor on terms set forth fully below.

NOW THEREFORE, in consideration of the mutual promises contained herein, the Parties hereto agree as follows:

1. Services

1.1 From time to time, Principal and Consultant may agree on certain services to be performed and Work Product (hereinafter defined) to be delivered pursuant to this Agreement. For this purpose, Principal and Consultant will enter into series of statement of work in the form set forth in Exhibit A ("SOW") which will specify, among other matters, detail description of services to be performed by Consultant to Principal ("Services"), Work Product (hereinafter defined), if any, to be delivered by Consultant to Principal and fees to be paid by Principal to Consultant for Services performed ("Fees"). SOW shall be governed by this Agreement.

1.2 Consultant shall, from time to time during the term of this Agreement, keep Principal advised as to Consultant's progress in performing Services under this Agreement.

2. Compensation

2.1 Principal shall reimburse Consultant for all reasonable preapproved travel expenses incurred by Consultant in accordance with Principal's Travel Policy. All expenses must be submitted within thirty (30) days of the completed engagement and require the inclusion of all receipts.

2.2 Consultant shall submit to Principal all invoices for Services within thirty (30) days of Services completed. Principal will pay within sixty (60) days from the date of an accurate invoice. Such payments shall be Consultant's sole compensation, including travel and all other expenses.

3. Confidentiality

3.1 Definition. "Confidential Information" means non-public technical, business and other information and materials that may be disclosed or otherwise made available by Principal to Consultant in any form, that are marked or identified as confidential or proprietary at the time of disclosure or provided under circumstances reasonably indicating their confidentiality.

3.2 Consultant will: (i) hold Confidential Information in strict confidential and not disclose Confidential Information to any third party; (ii) not use Confidential Information for any purpose except for the purpose of this Agreement; and (iii) take reasonable precautions to prevent unauthorized disclosure or use of Confidential Information.

3.3 Consultant's obligations under this Agreement will not apply to any Confidential Information to the extent: (i) it is now, or subsequently becomes, generally available through no wrongful act or omission of Consultant; (ii) was, before receipt from Principal, or becomes rightfully known to Consultant without confidentiality restrictions through disclosure from a source other than Principal; or (iii) is independently developed by Consultant without using any Confidential Information.

3.4 Upon the completion, expiration, or termination of this Agreement, or upon Principal's request, Consultant shall deliver to Principal all of Confidential Information, which Consultant may have in Consultant's possession or control.

3.5 Consultant shall not disclose any terms or existence of this Agreement to any third party if such disclosure is without the prior written consent of Principal, except as required by government or court order, or other applicable laws.

4. Work Product

Consultant agrees that all material, notes, records, drawings, designs, and trade secrets made by Consultant during the Term of this Agreement, which relate in any manner in performing Services hereunder (collectively, "Work Product") are the sole property of Principal. Consultant shall assign to Principal all Work

Product and any copyrights, patents, mask work rights or other intellectual property rights relating thereto. Consultant is not entitled to any neighboring rights on copyright to Work Product.

5. **Consultant's Representations and Warranties**

5.1 Consultant represents and warrants as follows: (i) Work Product shall not infringe the copyright, patent, trade secret, or any other intellectual property right of any third party; (ii) Consultant shall maintain all licenses and approvals required to perform the obligation under this Agreement; and (iii) Consultant shall comply with all applicable laws and regulations in performing the obligations of this Agreement.

5.2 Consultant certifies that Consultant has no outstanding agreement or obligation that is in conflict with any of the provisions of this Agreement and further certifies that Consultant will not enter into any such conflicting agreement during the Term of this Agreement.

6. **Term**

This Agreement will commence on the Effective Date and will continue for one (1) year from the Effective Date unless terminated as provided under Section 7.

7. **Termination**

7.1 Principal may terminate this Agreement and/ or any SOW without cause upon giving Consultant fourteen (14) days prior written notice.

7.2 Principal may terminate this Agreement and/ or SOW immediately if: (i) Consultant breaches to any of the terms of this Agreement; or (ii) Consultant refuses to or is unable to perform Services.

7.3 Upon expiration or termination of this Agreement, all rights and duties of the Parties toward each other will cease except: (i) Principal shall pay all amounts owing to Consultant for Services completed and accepted by Principal prior to the termination date and related expenses, if any, in accordance with the provisions of this Agreement; and (ii) Sections 3 (Confidentiality), 4 (Work Product), 5 (Consultant's Representations and Warranties), 8 (Indemnification/ Limitation of Liability) and 9 (Miscellaneous) shall survive termination of this Agreement.

8. Indemnification/ Limitation of Liability

8.1 Consultant agrees to indemnify and hold harmless Principal and its directors, officers, employees, or affiliates from and against all taxes, losses, damages, liabilities, costs and expenses, including attorneys' fees and other legal expenses, arising directly or indirectly from or related to: (i) any negligent or intentionally wrongful act of Consultant, (ii) any breach by the Consultant of any of the representations, warranties, or obligations contained in this Agreement, (iii) any failure of Consultant to perform Services, (iv) any allegation or claimed violation that the use of any Work Product or receipt of Services constitute an infringement of a third party's patent, copyright, trademark or other intellectual property rights, or (v) any and all liabilities for physical injury to, illness or death of, any person or damage to any tangible property which Principal may sustain or incur to any claims of Consultant.

8.2 Should any Services or Work Product become the subject of any infringement claim, Consultant shall at its sole option and expense either: (i) procure for Principal the right to continue using Work Product supplied by Consultant or (ii) replace or modify Work Product so that it becomes non-infringing while providing substantially equivalent functionality and performance.

8.3 Consultant's obligation to indemnify Principal shall include an obligation to pay any costs, including but not limited to reasonable attorney's fees, expert witness fees, reasonable expenses, damages and other costs as incurred by Principal.

8.4 NOTWITHSTANDING ANYTHING ELSE IN THIS AGREEMENT OR OTHERWISE, UNLESS PROHIBITED PURSUANT TO THE APPLICABLE LAW, IN NO EVENT SHALL CONSULTANT'S AGGREGATE LIABILITY TO PRINCIPAL IN CONNECTION WITH, ARISING OUT OF OR RELATED TO THIS AGREEMENT EXCEED THE AGGREGATE FEES PAID BY PRINCIPAL TO CONSULTANT IN THE TWELVE (12) MONTH PERIOD IMMEDIATELY PRECEDING THE DATE IN WHICH THE CAUSE OF ACTION OCCURRED OR US$ 1 MILLION, WHCHEVER IS GREATER.

9. MISCELLANEOUS

9.1 The Parties acknowledge that the unique nature of Consultant to perform Services is substantial consideration for the Parties' entering into this Agreement. Neither this Agreement nor SOW may be assigned or otherwise transferred by Consultant, in whole or in part without the prior written consent of Principal.

9.2 Failure, neglect, or delay by any Party to enforce the provisions of this Agreement or its rights or remedies at any time shall not be construed as a waiver of such Party's rights under this Agreement and shall not in any way affect the validity of the whole or any part of this Agreement or prejudice such Party's right to take subsequent action.

9.3 If any term, condition, or provision in this Agreement is found to be invalid, unlawful, or unenforceable to any extent, the Parties shall endeavor in good faith to agree to such amendments that will preserve, as far as possible, the intentions expressed in this Agreement.

9.4 This Agreement and all SOW contain the entire agreement of the Parties with respect to the subject matter of this Agreement and supersede all previous or contemporaneous communications, representations, understandings, and agreements, either oral or written, between the Parties with respect to said subject matter.

9.5 It is the express intention of the Parties that Consultant is an independent contractor. Nothing in this Agreement shall in any way be construed to constitute Consultant as an agent, employee, or representative of Principal.

9.6 This Agreement shall be governed by and construed in accordance with the laws of Japan. Any suit hereunder will be brought solely in the Japanese courts and Consultant hereby submits to the personal jurisdiction of such courts.

The Parties hereto have caused this Agreement to be executed in duplicate, by their duly authorized representatives as of the day and year first written above.

Principal K.K.   Consultant Co.,Ltd.

By : _____   By : _____

Print Name : _____   Print Name : _____

Title : _____   Title : _____

EXHIBIT A

STATEMENT OF WORK

This Statement of Work is made and entered into between Principal K.K. ("Principal") and Consultant Co.,Ltd. ("Consultant"). This Statement of Work is governed by, incorporated into, and made part of the terms of the Consulting Agreement ("Agreement") signed between Principal and Consultant dated as of [   ], 20 [   ]. All terms used and not otherwise defined shall have the meaning given such terms in the Agreement.

1. **Services**

(Detailed description of Services)

(Performance standards for all services to be specified)

2. **Work Product**

(Detailed description of Work Product)

3. **Duration of Work and Schedule**

The Services under this SOW shall commence on [   ] and be completed no later than [   ].

4. **Location**

Substantially all of Services under this Statement of Work shall be conducted by Consultant at [   ] or such other location or locations as Principal shall reasonably request.

5. **Fees**

(Detailed description of Fees, tax)

6. **Travel**

(Estimated schedule for travel)

IN WITNESS WHEREOF, the Parties hereto have caused this Statement of Work to be duly executed. This Statement of Work shall be effective on the date fully executed by the parties.

Principal K.K.	Consultant Co.,Ltd.
By : _____	By : _____
Print Name : _____	Print Name : _____
Title : _____	Title : _____
Date : _____	Date : _____

4.2 コンサルティング契約書　　　☞モデル契約書10-2

日本国内の事業者間で使用するためのコンサルティング契約書である。

- **委託業務実施場所と機材（第2条）**

　本契約では，受託者であるコンサルタントは委託業務を受託者の事務所で遂行する。委託者の事務所でコンサルタント業務を遂行することは違法ではないが，人材派遣に近い実態になってしまい，委託者が指揮命令権を行使してしまえば人材派遣の逸脱になってしまうことになる。さらに，機材はコンサルタント自己の費用で調達，整備することになっている。委託者が機材を提供する条件もあるが，これは業務が円滑にできるという前提のもとで設けられる。しかし，公正性，競争性，透明性の確保が求められる。

- **資料等（第3条）**

　コンサルタントは，委託業務遂行にあたりコンサルタントが保有する資料等を委託者に提供する（つまり使用許諾である）。提供された資料は，自己の業務に必要な範囲内でのみ利用すると制限があり，第三者に開示してはならないと規定されている。資料等の著作権等知的財産権が移転するわけではない。一方，委託者からコンサルタントに資料等が提供される場合もあり，どの程度コンサルタントが使用できるかを契約書に具体的に記載する必要がある。また，契約終了時にはこの資料等を返却することになっており(第10条)，この条項も実体面に合わせて修正が必要となろう。

- **反社会的勢力等の排除（第7条）**

　コンサルティング契約を用いて，合法的だとみせかけた契約書を作成し，その対価を反社会的勢力や税務的に問題がある支払いに使われる可能性がある。ここでは，警察庁が公表している「売買契約書のモデル条項例の解説」の条項例を修正して，反社会的勢力等の排除文言を盛り込んでいる。

- **損害賠償（第8条）**

　委託業務の実施にあたって受託者等が委託者等に損害を発生させた場合，これを賠償すると規定している。前掲の英文契約書のように責任制限があるわけではない。

コンサルティング契約書

　委託者：[委託株式会社] (以下,「委託者」という) と受託者：[受託株式会社] (以下,「受託者」という) とは, 委託者が受託者にコンサルティングサービス業務を委託するにあたり, 以下のとおり合意した。

第1条（委託業務）
　委託者は受託者に対して, 別紙詳細記載のコンサルティングサービス業務 (以下,「委託業務」という) を委託し, 受託者はこれを受託し, 本契約に従い委託業務を実施する。

第2条（業務遂行）
1　受託者は, 自己の責任と負担において善良な管理者の注意をもって委託業務を受託者の事業所において遂行する。
2　受託者は, 委託業務の実施のために必要な機材等は自己の費用にて調達, 整備する。
3　受託者は, 委託業務を担当する者 (以下,「業務担当者」という) を指定できる。なお, 委託者は, 業務担当者が委託業務の遂行につき合理的な理由で不適当と認めたときは, 受託者にその交代について協議することを要求できる。受託者は, 業務担当者に対する指揮・管理・監督を自ら責任をもって行うことを確認する。
4　受託者は, 委託業務の実施にあたり, 本契約に関連して適用される法令を遵守して実施する。

第3条（資料等）
1　受託者は, 委託業務遂行にあたり, その任意の判断で受託者が保有する資料等 (以下,「資料等」という) を委託者に提供することができる。
2　委託者は, 提供された資料等を, 自己の業務に必要な範囲内でのみ利用するものとし, これを第三者に開示してはならない。なお, 資料等の著作権を含む知的財産権は受託者が保持するものであり, 委託者に譲渡されたものではない。

第4条（対価及び支払方法）
1　受託者による委託業務履行の対価は別紙のとおりとする。
2　委託業務の履行に要する費用は, 一切受託者の負担とする。
3　委託者による委託業務履行の対価の支払いは, 受託者が委託者に提出した請求書の日付から30日以内とする。

第5条（再委託禁止）
　受託者は，委託業務のすべてを自ら行うものとし，委託者の書面による事前の承諾を得ることなく，委託業務の全部又は一部を第三者に再委託したり，本契約に基づく受託者の地位，権利，義務を第三者に承継，譲渡，引き受けさせたりしてはならない。

第6条（代理行為禁止）
　受託者は，本契約に基づく委託業務の実施を委託者より委託されたものであり，委託者より委託者を代理するいかなる権限を付与されたものではないことを確認する。受託者は，委託者の書面による事前の承諾を得ることなく，委託者を代理する旨の表示及び行為を一切行ってはならない。

第7条（反社会的勢力等の排除）
1　委託者及び受託者は，それぞれ相手方に対し，次の各号の事項を確約する。
　(1) 自らが，暴力団，暴力団関係企業，総会屋若しくはこれらに準ずる者又はその構成（以下，総称して「反社会的勢力」という）ではないこと。
　(2) 自らの役員（業務を執行する社員，取締役，執行役又はこれらに準ずる者をいう）が反社会的勢力ではないこと。
　(3) 反社会的勢力に自己の名義を利用させ，この契約を締結するものでないこと。
　(4) 本契約の履行終了するまでの間に，自ら又は第三者を利用して，この契約に関して次の行為をしないこと。
　　ア　相手方に対する脅迫的な言動又は暴力を用いる行為
　　イ　偽計又は威力を用いて相手方の業務を妨害し，又は信用を毀損する行為
2　委託者及び受託者の一方について，前項の確約に反した場合には，その相手方は，何らの催告を要せず本契約を解除することができる。

第8条（損害賠償）
　委託業務の遂行に際し本契約に違反し，受託者又は受託者の使用人が，委託者又はその従業員・関係者に損害を与えた場合には，受託者はすべての損害を賠償する責を負うものとする。

第9条（秘密保持・公表等の禁止）
1　受託者は，委託業務の内容，本契約の履行を通じて知り得た委託者の経営・営業及び技術上に関する一切の秘密情報及び個人情報（「個人情報の保護に関する法律」にて定義のとおり。以下，総称して「秘密情報等」という。）を秘密として保持し，本契約有効期間中はもとより，本契約が期間満了により終了又は解約され

た後も,第三者に一切,開示・公表・公開・漏洩してはならない。なお,受託者が委託業務を遂行している事実,又は本契約の存在を第三者に開示,公表してはならない。
2 本条における受託者の義務は以下のいずれの場合における秘密情報等には適用されない。
   (1) 受託者又はその従業員等の不正な作為又は不作為によらずして,一般に知られることとなった情報
   (2) 委託者から受領する以前,あるいはその後でも委託者以外の者から受領当事者が開示を受けた情報
   (3) 秘密情報を利用することなしに受託者により独自に開発された情報
   (4) 裁判所命令あるいは法令によって開示することが義務づけられた情報
3 受託者は,秘密情報等を委託業務の遂行の目的以外に使用しないものとする。
4 受託者は,秘密情報等を委託業務遂行に関わる受託者の使用人にのみ開示させる。
5 委託者は,受託者による本条の遵守状況を監査・確認することができる。

第10条(提供物の返還)

受託者は,委託者が要求する場合,又は本契約が期間満了により終了後あるいは解約後,直ちに委託者から提供を受けた提供物を返還する。

第11条(契約期間)

本契約の有効期間は,[   ]年[ ]月[ ]日より[   ]年[ ]月[ ]日までとする。ただし,上記期間満了の1ヵ月前までに特段の書面による申し入れがない場合,同条件で1年間本契約は延長され,以後も同様とする。

第12条(解除)

1 委託者又は受託者は,相手方に次の各号のいずれかに該当した場合,当該相手方に何らの催告なしに直ちに本契約を解約することができる。
   (1) 本契約の規定に違反し,違反をしていない当事者からの是正を求める書面による通知を受領後30日以内に当該違反を是正しなかったとき。
   (2) 差押・仮差押・仮処分その他強制執行を受けたとき,又は民事再生手続開始・会社更生手続開始・破産手続開始の申し立てを受けたとき,若しくは自ら申し立てたとき。
   (3) 資本減少,営業の停止若しくは変更,又は解散の決議をしたとき。
   (4) 自ら振出し若しくは引き受けた手形又は小切手につき,不渡処分を受ける等

支払い停止状態に至ったとき。
(5) 本契約第7条に違反したとき。
2 　委託者は，自己の都合により，受託者に対する1ヵ月前の書面による通知をもって，本契約をいつでも解約することができる。
3 　本契約が期間満了により終了又は解約された場合といえども，第8条（損害賠償），第9条（秘密保持・公表等の禁止），第10条（提供物の返還）及び第13条（協議・合意管轄）の規定は有効に存続する。

第13条（協議・合意管轄）
　本契約に定めのない事項又は本契約の解釈につき疑義が生じた事項については，委託者・受託者両者信義誠実の原則に基づき協議する。万が一協議が整わず，訴訟の必要が生じた場合には，東京地方裁判所を第一審の専属的合意管轄裁判所とする。

　以上，本契約締結の証として本書2通を作成し，委託者・受託者それぞれ記名捺印のうえ，各1通を保有する。

　　　年　　　月　　　日

　　　　　　　　　　　　　委託者：　　　　　　　　　　　　㊞

　　　　　　　　　　　　　受託者：　　　　　　　　　　　　㊞

（別紙）

1. 委託業務の内容

2. 対価

3. 納期

以上

第11章
成果物使用許諾付請負契約

中地 充● *Michiru Nakachi*

1　ビジネスモデル

　成果物使用許諾付請負契約とは，ソフトウェア開発委託契約や共同研究契約などにおいて，成果物が帰属する当事者が他方の成果物が帰属しない当事者に対し，著作権などの使用をあらかじめ許諾する契約である。ソフトウェアのオーダーメイド又はカスタマイズ開発を依頼する場合には，ソフトウェア開発契約を締結することが一般的である。そして，このソフトウェア開発委託契約は，請負あるいは請負類似の混合契約であると解されている。

2　リスク分析

　たとえば，ソフトウェア開発業務請負契約などにおいては，開発されたソフトウェアの著作権は，一旦受注者に帰属するため（発明者主義），その後の著作権の取扱いについて契約書で明記していないと，発注者は，開発後のソフトウェアについて一切の権利を有しないことになってしまうおそれがある。

　また，共同研究契約においても，発明者主義による帰属を定めている場合，著作権は開発者に帰属するが，開発者以外の経費を負担している当事者には使用許諾が認められないことになってしまう。そのため，成果物の帰属先の明記に加え，成果物の使用許諾についてあらかじめ取り決め，契約書等に規定しておく必要がある。

3 関連する法律・許認可など

3.1 著作権法

ソフトウェア開発契約において，開発されたソフトウェアの著作権は，実際に著作物を創作した人に帰属することになる（2条1項1号・2号）。したがって，著作権は受注者に帰属することになるため，契約書において，著作権を発注者に帰属することを定めておくことが多い。この際，受注者に著作権も使用権もないとなると次の開発ができなくなってしまうため，受注者に使用権を留保する契約が締結されることがある。一方，受注者に著作権が帰属することを前提に，発注者に使用権を許諾する場合もありうる。

3.2 独占禁止法（「私的独占の禁止及び公正取引の確保に関する法律」）

共同研究開発は複数の事業者による行為であることから，研究開発の共同化によって市場における競争が実質的に制限される場合もありうる。また，研究開発を共同して行うことには問題がない場合であっても，共同研究開発の成果物である技術の市場やその技術を利用した製品の販売市場において，公正な競争を阻害するおそれのある場合もあるため，不公正な取引として違法となることがありうる（公正取引委員会「共同研究開発に関する独占禁止法上の指針」はじめに1）。

3.3 下請法（「下請代金支払遅延等防止法」）

委託者と受託者間の取引に下請法が適用される場合，成果物に係る著作権の譲渡対価や使用料を定めなかったり，譲渡対価を不当に定めたりしたときは，下請法が禁止する「買いたたき」（4条1項5号）や「不当な経済上の利益提供」（4条2項3号）に該当することになる。

4　契約書チェックポイント　　　☞モデル契約書11-1

　ここでは，次に掲げるシステム開発に関するモデル契約書において留意すべき事項を紹介する。
- 目的（第1条）

　開発製品が複数に及ぶ場合は，「以下の業務を乙に委託し」と規定して，複数の製品を列挙しても構わない。

　また，実際の実務では最初から契約内容を詳細に決めずに開発過程で変遷する場合もあるので，「具体的な内容については個別契約に定める」として，ある程度作業が進んだところで，個別契約を締結する場合もある。
- 成果物の納入（第2条）

　乙としては，納入期限の延期が認められる規定を記載しておく方が望ましい。なお，成果物の納入方法が決まっている場合には，できる限り具体的に規定しておくべきである。
- 再委託（第3条）

　モデル契約書では受注者の責任において再委託を認める規定を挙げたが，再委託を一切禁止することも当然，認められる。なお，再委託を認める場合には，甲は，責任の所在を明確にするため，できる限り事前承認の形式をとることが望ましい。
- 委託料（第4条）

　モデル契約書では，それぞれの工程ごとに委託料を支払う形で記載した。システム開発が途中で頓挫してしまうリスクに備え，受注者は，工程ごとに委託料の支払いを受け，委託料を確保する方が望ましい場合もある。
- 知的財産権の取扱い（第5条）

　システム開発契約の場合，権利の性質を検討することなく，大まかにユーザ側に帰属させるという形式にすることも多いが，ベンダー側として厳密に検討した場合，他の案件で技術ノウハウやプログラムを転用できない可能性が生じるため，すべてをユーザ側に帰属させるというのは得策ではない。
- 検品（第6条）

　ベンダー側として注意すべき視点は，2項のような「みなし合格」の条項

が入っているか否かである。この条項がないことには,検査期間は経過したものの,いつまでたっても合否の連絡がないために報酬を支払ってもらえない,あるいは完成していないことを理由とした修正に応じなければならないということにもなりかねない。

- **契約の解除**（第7条）

  基本的には,ライセンサーの権利を侵害しない程範囲で途中離脱は自由とする場合が多い。

- **合意管轄**（第8条）

  紛争の際の専属管轄を定める規定である。

- **協議**（第9条）

  疑義や検討を要する事柄が生じた際に協力して解決を図ろうとする,一般的な国内契約に用いられる規定である。

成果物使用許諾付請負契約書

株式会社○○○○（以下「甲」という。）と株式会社△△△△（以下「乙」という。）とは，システム開発について以下のとおり契約した。

第1条（契約の目的）

甲は，本契約の定めるところにより，甲の［　　　　］（以下「本件システム」という。）の開発に関する業務を乙に委託し，乙は，これを受託する。

第2条（成果物の納入）

乙は，［　　］年［　］月［　］日までに，乙が本契約に基づいて作成した（以下「成果物」という）を甲乙合意により定められた方法により納入する。ただし，甲により業務内容が変更された場合，その他不可抗力によって，乙の業務遂行に支障が生じた場合には，乙は，甲に対し，納期の延長を求めることができる。

第3条（再委託）

乙は，必要に応じて，本契約に定める業務を乙の責任において第三者に再委託することができる。ただし，事前に甲による書面の同意を要するものとする。

第4条（委託料）

甲は，乙に対し，本件業務の対価の総額金［　　　］円を以下のとおり，支払う。
(1) 契約成立時に金［　　　］円
(2) ［　　］年［　］月［　］日限り，金［　　　］円
(3) 成果物の納入後，第6項の検収の合格後，［　　］日以内に金［　　　］円

第5条（知的財産の取扱い）

1　本件業務遂行の過程で生じた発明その他の知的財産権又はノウハウ等（以下「発明等」という）が甲又は乙のいずれか一方のみによって行われた場合，当該発明等に関する特許権その他の知的財産権，ノウハウ等に関する権利（以下「特許権等」という）は，当該発明を行ったものが属する当事者に帰属する。この場合，甲又は乙は，当該発明等を行った者との間で特許権等の承継その他必要な措置を講ずるものとする。
2　乙が従前から有していた特許権等を本件システムに利用した場合又は前項により乙に帰属する特許権等が本件システムに利用された場合，甲は，本契約に基づき本件システムを自己利用するために必要な範囲で，当該特許権等を実施又は

利用することができる。
3　本件業務の過程で生じた発明等が甲及び乙の共同で行われた場合，当該発明等についての特許権等は甲乙の共有（持分均等）とする。この場合，甲及び乙は，それぞれに属する当該発明等を行った者との間で特許権等の承継その他必要な措置を講ずるものとする。
4　甲及び乙は，前項の共同発明等にかかる特許権等について，それぞれ相手方の同意等を要することなく，これを自ら実施又は利用することができる。ただし，これを第三者に実施又は利用を許諾する場合，持分を譲渡する場合及び質権の目的とする場合は，相手方と事前に協議した上で，実際又は利用の許諾条件，譲渡条件等を決定するものとする。

第6条（検品）
1　甲は，乙より成果物の納入がなされた日から [　　　] 日以内に，成果物の検査を行い，その検査結果について乙に通知するものとする。
2　前項の期間内に甲より乙に通知がなされなかった場合には，当該成果物は検査に合格したものとみなす。

第7条（契約の解除）
1　甲又は乙は，相手方が本契約に違反したときは，本契約を解除することができる。
2　前項の場合，解除した甲又は乙は，相手方に対し，生じた損害の賠償を請求することができる。

第8条（合意管轄）
　本契約に関する紛争の第一審管轄裁判所は，東京地方裁判所とする。

第9条（協議）
　本契約に定めのない事項，もしくは，本契約の条項の解釈に疑義が生じた条項については，甲乙協議の上，円満解決を図るものとする。

以上のとおり，契約が成立したので，これを証するため本契約書2通を作成し，甲乙各記名押印の上，各1通を所持する。

　　　年　　月　　日

　　　　　　　　　　　　　（甲）　住　　所
　　　　　　　　　　　　　　　　　会社名
　　　　　　　　　　　　　　　　　役　　職
　　　　　　　　　　　　　　　　　氏　　名　　　　　　　　㊞

　　　　　　　　　　　　　（乙）　住　　所
　　　　　　　　　　　　　　　　　会社名
　　　　　　　　　　　　　　　　　役　　職
　　　　　　　　　　　　　　　　　氏　　名　　　　　　　　㊞

事項索引
Index

アルファベット

Captions(見出し) 55
CISG(ウィーン売買条約) 176
Cost plus fixed fee(実費償還契約)条件
 201
due 54, 81
Entire agreement(完全合意・完全契約)
 .... 54, 77, 83, 118, 178
Exclusive License(排他的ライセンス) ... 6
Fixed firm price(定額契約)条件 201
Force majeure(不可抗力)
 .... 55, 77, 117, 194
GNU GPL(一般公衆利用許諾書) 66
Incoterms®2020 174
Nonexclusive License
 (非排他的ライセンス) 6
Notices(通知) 55, 83, 117
OEM 140
Premises(頭書き) 81
Representations(表明) 55
Severability(可分性・分離性)
 .... 55, 83, 118, 179
shall 81
Survival 55
term(期間) 53
termination(契約の解除ないし解約) ... 53
terms(条件) 53
Time & material
 (定額時間資材償還契約)条件 201
UCITA 66
UETA(統一電子取引法) 66
UCC(米国統一商事法典) 175
Waiver(権利放棄・非放棄)
 .... 55, 83, 118, 178
Warranty(保証) 82, 117, 177
Whereas clause(説明条項・リサイタル)
 .... 17, 81

あ

アサインバック 116
意匠法 29, 45
委託販売 186
一般条項(ボイラー・プレート) 111
イニシャルペイメント 30
委任 202
印税 46, 90, 94
請負 202
請負契約 141, 199

か

解除 75, 111
解約 75
改良 11, 116, 143
仮専用実施権 6
仮通常実施権 7
監査 112
技術指導(研修) 150, 161, 191
基本契約 148
協議 220
競業避止(条項) 172, 200
共同研究開発に関する独占禁止法上の
 指針 218
グラントバック(条項) 11, 116
クリック・ラップ契約
 (Clickwrap Agreement) 63
クロスライセンス 1

225

景品表示法	187
健康増進法	188
検収	201
源泉所得税（源泉徴収税）	17, 108
原盤権	90
検品	219
購入義務	173
公表権	59
個人情報保護法	189
固定ライセンス料	105
個別契約	148
コモンロー（common law）	29

さ

最低取扱数量条項（minimum quantity）	176
サブコントラクト	114
サブライセンス	114
サブライセンス権（再実施許諾権）	102
下請	140
下請中小企業振興法	147
下請法	144, 218
実演家の権利	91
終結条件	117
出版権の登録	47
シュリンク・ラップ契約（Shrinkwrap Agreement）	63
準委任	202
消費者契約法	65, 189
商標	26
商標権	27
商標法（日本）	28, 45, 173, 189
商標法（米国）	29
食品衛生法	188
侵害排除	31, 76
成果物の帰属	217
成果物の使用許諾	217
製造物責任	151

専用実施権	6
専用使用権	28

た

代理店保護法	173
知的財産の利用に関する独占禁止法上の指針	7, 66, 162, 202
仲裁	118
著作権	43
著作権法	29, 45, 65, 91, 218
著作者人格権	43, 47
著作隣接権	43, 90
通常実施権	7
通常使用権	28
抵触法	83
電子消費者契約及び電子承諾通知に関する民法の特例に関する法律	65
転売	186
登録	6, 28
独占禁止法	7, 66, 91, 144, 172, 188, 218
独占使用権	27
独占的通常実施権	10
独占的な使用権（exclusive right: 米国）	29
独占的ライセンス	101
特定商取引法	190
特許権	1
特許法	5, 29, 45
トレードシークレット	30

な

二次的著作物	47

は

売買契約	141
パテントプール	1
反社会的勢力等の排除	211

非独占的ライセンス ································ 102
秘密保持（守秘義務）···················· 12, 113
秘密保持契約（NDA: Non-Disclosure
　Agreement）································· 75
不公正な取引方法 ····························· 144
不正競争防止法 ································· 29
ブラックボックス化 ························· 162
並行輸入品 ······································· 173
変則的独占許諾 ······························· 102
報告 ·· 31
保証（国内契約）························ 92, 200
翻案権 ·· 43

ま

マルティプルライセンス ························· 1
ミニマムロイヤルティ（最低保証額）
　··· 31, 106

や

薬機法 ··· 188

ら

ランニングロイヤルティ ············· 30, 105
リバースエンジニアリング ················· 74
連邦制定法（ランハム法）················· 29

執筆者略歴

【編著者】

吉川 達夫（よしかわ・たつお）…… 第4章4-1・第7章7-2・第8章・第10章

ニューヨーク州弁護士。駒澤大学法科大学院、国士舘大学21世紀アジア学部非常勤講師、外資系日本法人 Senior Legal Counsel, 元 Tanium Inc. Contract Attorney, 元 WeWork VP, Japan Regional General Counsel, 元 VMware 株式会社法務本部長, 元 Apple Japan 合同会社法務本部長(日本、韓国), 元伊藤忠商事株式会社法務部, 元 Temple Law School Visiting Professor, Georgetown Univ. Law School 卒。

主な著作:『ライセンス契約のすべて(実務応用編) 改訂版(改正民法対応)』(編著、第一法規, 2020年),『実務がわかるハンドブック企業法務 [改訂第2版]』(編著、第一法規, 2019年),『ハンドブック　アメリカ・ビジネス法』(編著、第一法規, 2018年),『ケースブック アメリカ法概説』(レクシスネクシス・ジャパン, 2007年),『電子商取引法ハンドブック [第2版]』(中央経済社, 2012年),『海外子会社・海外取引のためのコンプライアンス違反・不正調査の法務』(中央経済社, 2015年),『コンプライアンス違反・不正調査の法務ハンドブック』(中央経済社, 2013年),『ダウンロードできる英文契約書の作成実務』(中央経済社, 2018年)

森下 賢樹（もりした・さかき）…… 第3章・第4章4-2・4-3担当

弁理士　プライムワークス国際特許事務所代表。京都大学理学部物理学科卒。

主な著作:『ライセンス契約のすべて(実務応用編) 改訂版(改正民法対応)』(編著、第一法規, 2020年),『ケースブック　アメリカ法概説』(レクシスネクシス・ジャパン, 2007年),『知的財産のビジネストラブルQ&A』(中央経済社, 2004年)

http://www.primeworks-ip.com/

飯田 浩司（いいだ・ひろし）…… 第7章7-1担当

ニューヨーク州弁護士。松下電工株式会社(現パナソニック株式会社)法務部課長、ファイザー株式会社取締役、コロムビアミュージックエンタテインメント株式会社(現日本コロムビア株式会社)執行役を経て、明治学院大学大学院法と経営学研究科教授、同志社大学大学院法学研究科、同大学ビジネス研究科非常勤講師、同志社大学文学部社会学科、同法学部法律学科卒、Georgetown Univ. Law School 修了(LL.M.)。

主な著作:『コンプライアンス違反・不正調査の法務ハンドブック』(編著、中央経済社, 2013年),『英文契約書の作成実務とモデル契約書 [第4版]』(編著、中央経済社, 2013年),『国際取引法と契約実務 [第3版]』(共著、中央経済社, 2013年),『実務がわかるハンドブック企業法務 [改訂第2版]』(編著、第一法規, 2019年),『ハンドブック　アメリカ・ビジネス法』(編著、第一法規, 2018年)

【執筆者】(担当章順)

三木 友由 (みき・ともよし) …… 第1章担当

プライムワークス国際特許事務所パートナー弁理士。東京大学工学部精密機械工学科, 明治大学法学部卒。機械・制御, 情報分野を中心に知的財産の権利化と権利活用フェイズを担当。

主な著作:『知的財産のビジネス・トラブルQ&A』(共著, 中央経済社, 2004年) など。

村田 雄祐 (むらた・ゆうすけ) …… 第2章担当

プライムワークス国際特許事務所パートナー弁理士。慶應義塾大学法学部, 東京理科大学工学部卒。電子, 情報分野を中心に, 知的財産の権利化と権利活用フェイズを担当。

主な著作:『知的財産のビジネス・トラブルQ&A』(共著, 中央経済社, 2004年) など。

小松 卓人 (こまつ・たくと) …… 第5章担当

一橋大学法学部卒業。外資系デジタルコンテンツ配信企業法務担当部長。音楽コンテンツをはじめ, 映画, モバイルアプリケーション等, デジタルコンテンツに関連する知的財産権のライセンス業務に携わる。

西村 千里 (にしむら・ちさと) …… 第6章担当

メック株式会社顧問, 兵庫県立大学(旧神戸商科大学)大学院経営研究科客員教授。東北大学電気工学科卒。松下電工株式会社(現パナソニック株式会社ライフソリューションズ社)にて, 綜合技術研究所, 海外事業統括部, 米国松下電工, 法務部, 知的財産部に所属し長年にわたり国際技術渉外を担当。現職で法務全般を担当。

主な著作:『ケースブック アメリカ法概説』(共著, レクシスネクシス・ジャパン, 2007年) など。

島 美穂子 (しま・みほこ) …… 第9章担当

渥美坂井法律事務所・外国法共同事業弁護士(第二東京弁護士会), ニューヨーク州弁護士。東京大学法学部卒, ニューヨーク大学ロースクール卒。主要取扱分野は, 海外インフラ/PPP, エネルギー, プロジェクト・ファイナンス及び国際取引法務。

主な著作:『海外エネルギープロジェクトの契約実務』(共著, 中央経済社, 2019年),『ファイナンス法大全(上)[全訂版]』(共著, 商事法務, 2017年),『ファイナンス法大全(下)[全訂版]』(共著, 商事法務, 2017年),『平成18年会社法 取締役・取締役会の実務』(共著, 税務経理協会, 2006年) など。

中地 充 (なかち・みちる) …… 第11章担当

中地総合法律事務所代表弁護士(第一東京弁護士会)。中央大学大学院法務研究科修了。現在, 同大学院実務講師, 財務省税関研究所委託研修講師(知的財産権)。取扱分野は, 知的財産権, ソフトウェア開発, 一般企業法務等。

主な著作:「ソフトウェア開発訴訟における品質管理と目的物の完成について」(共著, 中央ロー・ジャーナル10巻2号, 2013年) など。

※本書は、2016年12月26日に、レクシスネクシス・ジャパン株式会社より第3版第1刷として発行されたものに、改訂を加えたものです。

サービス・インフォメーション
――――――――――――――――――――通話無料――

① 商品に関するご照会・お申込みのご依頼
　　　　TEL 0120(203)694／FAX 0120(302)640
② ご住所・ご名義等各種変更のご連絡
　　　　TEL 0120(203)696／FAX 0120(202)974
③ 請求・お支払いに関するご照会・ご要望
　　　　TEL 0120(203)695／FAX 0120(202)973

●フリーダイヤル（TEL）の受付時間は、土・日・祝日を除く
　9:00～17:30です。
●FAXは24時間受け付けておりますので、あわせてご利用ください。

ライセンス契約のすべて　基礎編
～ビジネスリスクの法的マネジメント～
改訂版（改正民法対応）

2018 年 9 月 30 日　初版発行
2020 年 6 月 20 日　改訂版第 1 刷発行
2022 年 11 月 5 日　改訂版第 2 刷発行

編　著　吉　川　達　夫
　　　　森　下　賢　樹
　　　　飯　田　浩　司
発行者　田　中　英　弥
発行所　第一法規株式会社
　　　　〒 107-8560　東京都港区南青山 2-11-17
　　　　ホームページ　https://www.daiichihoki.co.jp/

ライセンス基礎改　ISBN 978-4-474-07199-5　C2032 (3)